ELOGIO AL PROGRAMA

«Lo que me parece muy estimulante acerca de *Alivie su artritis con digitopuntura* es que Michael Gach describe métodos que proporcionan a los pacientes angustiados un medio poderoso y seguro para ayudarlos a lograr una existencia más sana y libre de dolor. Las técnicas del autor pueden proporcionar a quienes sufren de artritis crónica algún control sobre su propio destino, al mismo tiempo que se complementan con las formas más tradicionales de terapia. Esto no es un logro pequeño...

Alivie su artritis con digitopuntura da al lector sugerencias prácticas y accesibles para muchos tipos y etapas de estados artríticos y reumáticos. La acupresión ofrece alivio sin riesgo y al mismo tiempo no es costosa y se integra con facilidad a la vida personal. Los ejercicios para la artritis de Michael Gach son fáciles de aprender y ejecutar. Recomiendo enfáticamente este libro a las personas que sufren de artritis o de trastornos reumáticos en los tejidos blandos, quienes no están satisfechas de vivir con dolor crónico.»

—Murray C. Sokoloff, M.D.,
Reumatólogo
Profesor Clínico Auxiliar de Medicina,
Centro Médico de la Universidad Stanford

«Ofrece un nuevo enfoque... Lo diferente de este libro es el énfasis en la acupresión, una terapia natural empleada por los chinos durante miles de años.»

—New York Daily News

«Michael Redd Gach proporciona al lector varios planteamientos para tratar la artritis.»

—Publishers Weekly

Título original: Arthritis Relief at Your Fingertips
Traducción: Adriana Calle y Mª de la Luz Broissin

© Michael Reed Gach
Publicado mediante acuerdo con
Warner Books, Inc.
666 Fifth Avenue, New York, N.Y. 10103

© 1995 SUSAETA EDICIONES, S.A. (versión castellana)
Tikal Ediciones / Unidad Editorial
Rambla de la Llibertat 6-8 - 17004 Girona (España)
Teléfono y Fax (972) 22 28 78
Cubierta: Sarsanedas-Azcunce
Impreso en España

ALIVIE
SU
ARTRITIS
CON
DIGITOPUNTURA

**UN MÉTODO NATURAL PARA
PREVENIR Y TRATAR EL DOLOR
CON LA MÁXIMA EFICACIA**

MICHAEL REED GACH

CONTENIDO

PRÓLOGO I

Lo que me parece muy estimulante acerca de *Alivie su artritis con digitopuntura* es que Michael Gach describe métodos que proporcionan a los pacientes angustiados un medio poderoso y seguro para ayudarlos a lograr una existencia más sana y libre de dolor. Las técnicas del autor pueden proporcionar a quienes sufren de artritis crónica algún control sobre su propio destino, al mismo tiempo que se complementan con las formas más tradicionales de terapia. Esto no es un logro pequeño...

Las personas enfermas que tratan de ayudarse a sí mismas por lo general sanan más pronto y completamente. El hecho de que esto ocurre es sabido y reconocido por las profesiones dedicadas a la salud. El libro de Michael Gach ofrece a los pacientes con artritis y padecimientos relacionados un medio para lograrlo. El objetivo de la acupresión no es el de reemplazar los métodos tradicionales de tratamiento médico y en muchos casos puede ser usada como un suplemento muy benéfico de estos métodos. Además, en el tratamiento de dolores y padecimientos que todos experimentamos, la acupresión en sí puede ser el método de terapia que se necesita. Científicamente, es difícil cuantificar el beneficio que aportan estas técnicas de acupresión. Después de miles de años de aplicación empírica, los métodos han sobrevivido porque funcionan. La acupresión, al igual que la acupuntura, parece aliviar el dolor directamente por medio de la descarga de las substancias químicas naturales calmantes del dolor (llamadas endorfinas) en el cuerpo e indirectamente, a través de la respuesta de relajación.

He experimentado personalmente el poder tremendo de la acupresión y la he empleado en mi práctica. Creo que muchos pacientes con artritis o reumatismo en los tejidos blandos, si practican con regularidad las técnicas de autoayuda indicadas por Michael Gach, podrán beneficiarse mucho con la relajación profunda que en forma natural da como resultado la disminución de dolores y padecimientos. Muchos pacientes también pueden experimentar un conocimiento profundo que no sólo les permite prestar una mejor atención a las señales básicas del cuerpo, sino que les ayuda a reconocer y posiblemente cambiar patrones de vida nocivos, mecanismos de imitación y hábitos.

La relajación profunda beneficia naturalmente muchos padecimientos reumáticos relacionados, incluyendo los de tipo inflamatorio, degenerativo y muscular. El estar calmado estimula una sensación de bienestar, así como el estar tenso hace que todo parezca peor.

La artritis, como cualquier enfermedad seria, a menudo puede ser una indicación de que la vida de uno está desequilibrada y que es necesario hacer cambios. La artritis y los padecimientos reumáticos de los tejidos blandos relacionados pueden ser un medio natural de decirnos que nos calmemos un poco y nos cuidemos. En lugar de prestar atención a esta señal natural, lo que la mayoría de nosotros hacemos es buscar en el botiquín de medicamentos un alivio rápido. Cuando eso no funciona, concertamos una cita con nuestro médico o quiropráctico. Después de una evaluación apropiada, el médico o quiropráctico por lo general clasificará el padecimiento, basado en el entrenamiento profesional y experiencia, así como en los signos y síntomas particulares presentados por el paciente. El tratamiento es a menudo prescrito o administrado por el profesional. Incluye usualmente la prescripción de medicinas cuando se consulta a un médico, y manipulación en el caso del quiropráctico. Con frecuencia, se hace muy poco o ningún intento para buscar los factores implícitos, tales como los aludidos con anterioridad. Aunque las medicinas o las técnicas manipuladoras puedan aliviar la condición, a no ser que los factores implícitos sean reconocidos y atendidos, la enfermedad no será curada en muchos casos, sólo aliviada, y puede presentarse de nuevo.

¿Cuál es el precio que uno debe pagar por este alivio rápido? Los efectos secundarios del medicamento, de severidad variada, no sólo son comunes, sino que en algunos casos pueden ser serios. En una época en que lo natural está «de moda», es sorprendente lo que muchos de nosotros metemos en nuestros cuerpos. ¿Acaso es de extrañar que el mercado de los medicamentos antiartríticos y analgésicos sea de varios billones de dólares sólo en los Estados Unidos?

Aunque con frecuencia recomiendo la aspirina o medicamentos parecidos a la aspirina para aliviar el dolor artrítico, soy consciente de los efectos secundarios potenciales de estos medicamentos y tomo precauciones para minimizarlos. Conozco bien las limitaciones de esta clase de terapia y en casos seleccionados puedo añadir la acupresión u otras clases de terapia de relajación.

Alivie su artritis con digitopuntura proporciona al lector sugerencias prácticas y accesibles para muchos tipos y etapas de estados artríticos y reumáticos. Los resultados obtenidos pueden variar de acuerdo al estado, su severidad y otros factores. Las enfermedades artríticas bien establecidas o avanzadas pueden responder menos bien que los casos benignos que están en su inicio. Por otro lado, las condiciones fácilmente reversibles tales como la fibromialgia, la fibrositis y el síndrome miofacial pueden retirarse por completo con ayuda de tratamientos de acupresión.

La acupresión ofrece alivio sin riesgo y al mismo tiempo, no es costosa y se integra con facilidad a la vida personal. Los ejercicios para la artritis de Michael Gach son fáciles de aprender y ejecutar. Recomiendo enfáticamente este libro a las personas que sufren de artritis o de trastornos reumáticos en los tejidos blandos, quienes no están satisfechas de vivir con dolor crónico.

Murray C. Sokoloff, M.D.
Reumatólogo
Profesor Clínico Auxiliar de Medicina,

PRÓLOGO II

El príncipe Carlos y un número impresionante de médicos británicos respetables emplean el término «medicina complementaria» para referirse a lo que los estadounidenses llaman «medicina alternativa». Varias modalidades curativas naturales, las cuales cada vez son más populares en la Gran Bretaña y Europa, ya no son simplemente una alternativa de la medicina convencional; se están convirtiendo en una parte integral de la buena atención médica.

Un número creciente de médicos en todo el mundo está empezando a utilizar la nutrición, la medicina homeopática, la acupuntura, la medicina botánica y varias terapias corporales como parte de este nuevo desarrollo. Este movimiento ha sido acompañado por la participación creciente del público general en una multitud de métodos de autocuidado. Empezamos a ser conscientes de los mecanismos autocurativos innatos que todos compartimos como humanos, apartándonos de la mentalidad de ser participantes pasivos en el cuidado de nuestra propia salud y bienestar.

La acupresión es un buen ejemplo de una terapia natural que la gente puede utilizar con facilidad en casa, con resultados positivos y benéficos. Desarrollada durante miles de años, la acupresión es un sistema sofisticado no tóxico ni agresivo para estimular el proceso de curación. De la misma manera que las personas de todas las culturas por instinto tocan, frotan o presionan diferentes partes del cuerpo para aliviar el dolor o malestar, la mayoría de nosotros practicamos y recibimos los beneficios de la acupresión sin ni siquiera saberlo.

Cuando aprenda las técnicas básicas de la acupresión, podrá practicarla en cualquier momento o lugar. Los beneficios están tan cercanos como las propias yemas de los dedos. En mi vida ha aliviado mucho dolor y malestar. La he empleado para dejar escapar emociones reprimidas, para reducir la tensión diaria e incluso para mejorar la calidad de mi piel y rostro.

Alivie su artritis con digitopuntura, de Michael Reed Gach, es una guía positiva para aprender las aplicaciones prácticas de la acupresión. Este libro no sólo es de valor para aquellas personas con artritis, sino para cualquiera que sienta rigidez, tensión o mala circulación en cualquier parte de su cuerpo.

Al aproximarnos al siglo XXI, la acupresión y otros métodos curativos se convertirán en una parte clave de nuestra vida diaria. Podremos preguntarnos incluso cómo pudimos vivir sin ella.

Lindsay Wagner
Actriz

AGRADECIMIENTOS

Quiero agradecer a la animadora Mary Martin por haberme inspirado para desarrollar este Programa para el alivio de la Artritis. Después de haber empleado la acupresión para hacer que sus manos artríticas mejoraran, en broma me pidió que fuera a casa con ella; entonces, en un tono mucho más serio, Mary me pidió que le mostrara cómo aliviar la artritis empleando las técnicas de acupresión, el estiramiento suave y el automasaje. Mi respuesta a esa pregunta eventualmente se desarrolló en este libro.

Estoy en deuda con Dana Ullman y con Jim Spira por su apoyo y recursos profesionales; con Frank Nuessle por su dedicación espiritual y apoyo y con su Enhenced Media Group por producir cintas de video y audio de alta calidad sobre el alivio de la artritis; y con Jack Howell por su guía en la comercialización del libro.

Estoy agradecido por mi amistad con Scott Catamus y Katherine Ridall, quienes me presentaron a Cathy Hemming. Ella tenía la llave de oro que abrió las puertas de Warner Books.

Joann Davis, editor principal de Warner, merece mi agradecimiento por reorganizar el manuscrito en un conjunto comprensible. Estoy agradecido por la oportunidad que Warner Books me dio para producir la presentación, diseño y gráficas de este libro.

Me gustaría agradecer a Elizabeth Rosner su ayuda al investigar y escribir las introducciones de las secciones y por editar varias veces el manuscrito. Quiero dar las gracias a Lyn Lamb, quien mecanografió y volvió a escribir a máquina el manuscrito a través de sus muchos borradores; a Sally Zahner, que hizo un trabajo sobresaliente de corrección de pruebas; a Judith Jang por su consulta de diseño gráfico y dirección artística; y a Ann Marie Ericksen, quien me ayudó a empastar el manuscrito. Quiero agradecer especialmente a Patricia Reilly su energía sustentadora, la cual me ayudó a través del último borrador; a Mary Sanichas, cuyos talentos en escritura y publicación crearon la maqueta interior del libro; a Joan Carol, cuyo gran talento artístico creó los dibujos anatómicos; y a David Lehrer por su pericia al tomar las fotografías.

También deseo expresar mi reconocimiento a Lorraine Barret, Molly Beck, Gene Poferl, Fran Leftwich, Terry Calas, Herb Jorgensen y Maureen Glew, quienes posaron para las fotografías.

Estoy profundamente agradecido a los maestros y al personal leal y dedicado del Instituto de Acupresión. Sin el apoyo de Kathy Moring, quien sin ayuda atiende las demandas administrativas del Instituto, yo nunca habría tenido tiempo ni siquiera para tomar la pluma, mucho menos para volar a Maui. Quiero dar las gracias a Mary Joan Dietrich, quien me proporcionó su casa en Maui durante un mes, donde tuve un lugar saludable para nadar y escribir este libro.

Quiero expresar mi agradecimiento a Alice Hiart, R.N.; Joey Carter, C.A.; Connie

Cronin, C.A.; Janet Oliver, C.A.; Joseph Helms, M.D.; Charles May, M.D.; Dean Omish, M.D.; Kenneth J. Zubrick, M.D.; Jonathan Shore, M.D.; y Murray Sokoloff, M.D.; por revisar el manuscrito y darme su consejo médico.

Finalmente, deseo agradecer a mis padres todo el amor, confianza y apoyo que me dieron para perseverar en mis metas y aspiraciones.

PREFACIO

La artritis afecta a más de 35 millones de norteamericanos: es la enfermedad más invalidante de los Estados Unidos. Si usted se encuentra entre los afectados, sus síntomas pueden ser ocasionales o frecuentes y puede padecer de inflamación en una o más de sus articulaciones, dolor recurrente, sensación de rigidez por las mañanas o incapacidad para mover normalmente alguna de sus articulaciones. Sean ligeros o severos, sus síntomas tienen indiscutiblemente un efecto directo en su vida cotidiana. Quizás usted ya haya consultado sobre «cómo vivir con la artritis». Sin embargo, hay mucho más que usted puede hacer para aliviar el dolor e incrementar el alcance de sus movimientos, así como para relajar y fortalecer sus músculos. Como Koring y Fries recomiendan:

Una de las cosas más importantes que usted puede hacer para aliviar su artritis es ejercitarse de manera adecuada. Por desgracia, muchas personas con artritis piensan que el ejercicio es nocivo. Muchos otros pueden desilusionarse porque los resultados son lentos o bien porque el ejercicio les produce dolor. Mantener un balance adecuado entre descanso y ejercicio, así como ejercitarse adecuadamente, es la clave para llevar a cabo un exitoso programa de ejercicios para la artritis.[1]

En este libro aprenderá técnicas de relajación muscular, las cuales han sido diseñadas para desinflamar las articulaciones y aliviar el dolor. Investigaciones médicas demuestran que el movimiento es necesario para una adecuada nutrición del cartílago. Cuando se realizan correctamente, estos ejercicios y técnicas de digitopuntura permiten al líquido sinovial, que lubrica la articulación, transportar los nutrientes necesarios a la articulación así como remover los productos de desecho.

Si no se usan los músculos ni las articulaciones se perderá la fuerza y la elasticidad y, con ello, la función. Si usted ya perdió la función, recuerde que esto no sucedió en un día; asimismo, tomará más de un día recobrarla, especialmente si su artritis es severa o si la limitación de sus articulaciones data de mucho tiempo. Con la práctica regular de las rutinas de autoayuda que se explican en este libro, usted no sólo aliviará su dolor sino que además podrá prevenir un incremento en sus síntomas. Con ello mejorará su bienestar general.

Las técnicas del masaje de acupresión explicadas en este libro son ideales para el tratamiento de la artritis. Como el doctor Paul Davidson señala:

Realizar de manera adecuada el

---

[1] Kate Korig y James F. Fries, *The Arthritis Helpbook,* Addison-Wesley, 1980

masaje tiene muchos efectos benéficos: permite que los músculos se relajen y que su nutrición mejore, gracias al incremento del flujo sanguíneo; los músculos y tendones se alargan mejorando el movimiento, y el efecto global sobre el organismo es de sedación (una buena alternativa a los medicamentos). Las personas que han experimentado el shiatsu (una forma de masaje de acupresión) están de acuerdo en que, aunque inicialmente no es tan agradable como un masaje sueco, esta técnica proporciona al paciente una excelente mejoría temporal del dolor localizado, así como una buena relajación muscular.[2]

---

[2] Paul Davidson, M.D., *Are you sure it's arthritis?*, Macmillan, 1985, p. 170.

ADVERTENCIA AL PRUDENTE

Este libro ha sido diseñado para aquellos que padecen de artritis y reumatismo. Los ejercicios y procedimientos explicados aquí no curan la artritis, pero sí son de suma ayuda porque incrementan la circulación, mejoran la flexibilidad muscular y alivian el sufrimiento. El suave estiramiento diario junto con la estimulación de la digitopresión han sido encontrados efectivos para aliviar la tensión y rigidez, así como el dolor y la aflicción asociadas con la artritis y el reumatismo.

Si usted se encuentra en tratamiento farmacológico, después de meses de práctica regular de las rutinas aquí explicadas podrá encontrar que debido a una mejoría en la circulación no requerirá de las mismas dosis de medicamentos que inicialmente requería. Si la práctica de estos ejercicios afecta su metabolismo, medicación o dolor, consulte a su médico antes de cambiar el régimen prescrito.

Nota: Si usted tiene artritis reumatoide, considere estas técnicas de autoayuda como parte importante de su tratamiento. Utilice los métodos de alivio de la artritis aquí explicados junto con un adecuado manejo farmacológico prescrito por su médico, un cuidadoso plan mixto de actividad, relajación profunda y terapia física regular.

GUÍA PARA LA PRÁCTICA
DEL ALIVIO DE LA ARTRITIS

Para obtener mejores resultados, una vez que usted se haya familiarizado con las técnicas para el alivio de la artritis descritas en este libro, le sugiero que *emplee veinte minutos, dos o tres veces al día,* para practicar la técnica de autoayuda. Le recomiendo, asimismo, que practique las rutinas de los siguientes capítulos una vez al día:

- **Los doce puntos de alivio de la artritis.** (Capítulo IV)
- **Rutinas diarias.** (Elija una rutina.) (Capítulo V)
- **Alivio del dolor en áreas específicas.** (Elija una sección en base a la localización de su artritis.) (Capítulo VI)

De hecho, la efectividad de este programa depende de la práctica regular de las técnicas de autoayuda. Prepárese para invertir un tiempo extra al inicio, mientras aprende los puntos, rutinas y trabaja lentamente con paciencia. Así mismo, haga un esfuerzo por seguir las guías dietéticas básicas aquí recomendadas.

He encontrado que a la mayoría de la gente le toma usualmente alrededor de seis meses obtener un alivio sustancial de los dolores de su artritis. Haciendo caso omiso de cuánto le tome exactamente alcanzar el control de su artritis, los gratificantes resultados pueden mantenerse sólo practicando las mismas rutinas durante el resto de su vida.

El apoyo de un profesional en digitopuntura podría ayudarle a acelerar su proceso de curación. Sin ayuda externa usted requerirá de un más alto nivel de fe y perseverancia para trabajar las etapas más difíciles de dolor de su artritis. El camino del autotratamiento es largo, pero si progresa diariamente en la práctica de las técnicas, podrá aliviar el dolor en forma natural, sin necesitar de medicamentos que pueden tener efectos secundarios severos.

En los últimos diez años he visto cientos de personas exitosamente aliviadas que manejan su dolor con sólo seguir el programa de entrenamiento básico en el Instituto de Digitopuntura. El recibir apoyo de digitopuntura tanto dentro como fuera de clases ha ayudado a muchas personas no sólo a aprender este arte de curación, sino que además los ha capacitado para ganar una mayor conciencia de salud y bienestar.

DESARROLLO DEL PROGRAMA DE ALIVIO DE LA ARTRITIS

Con frecuencia me preguntan cómo desarrollé este programa. Después de muchos años de estudiar y practicar diversas modalidades holísticas de salud creé este sistema de autocuidado integrando varias técnicas de terapia natural diseñadas para mejorar el estrés y el dolor. Mi investigación empírica de los últimos quince años ha mostrado que el incremento de la efectividad para aliviar el dolor de la artritis se obtiene al combinar los puntos clave de la digitopuntura con posturas específicas, movimiento y técnicas de respiración.

Mi experiencia con pacientes artríticos ha incluido no sólo mi consulta privada sino también a más de sesenta mil personas que he encontrado en clases y presentaciones. He comprobado –y mi trabajo con pacientes lo ha corroborado– que presionando poco a poco los sitios clave de digitopuntura cerca y directamente sobre los puntos de la artritis se obtiene un significativo alivio del dolor. El gran número de personas (incluyendo a Mary Martin) que han expresado interés en aprender las técnicas de autodigitopuntura para aliviar su artritis, junto con mi éxito en aliviar toda clase de dolores y sufrimientos, me motivaron a escribir este libro.

En 1976 fundé en Berkeley, California, el Instituto de Digitopuntura, apoyado por un gran público interesado en el arte de la curación con las manos. Ahora, en su segunda década, el Instituto se ha convertido en uno de los más amplios centros de entrenamiento de digitopuntura de los Estados Unidos: personas de todo el mundo vienen a estudiar conmigo, mis instructores del último año y mi personal.

En 1978 inicié el acuyoga, un sistema de autodigitopresión que no sólo alivia el dolor sino que también permite un adecuado control del estrés, lo que ayuda a la gente a sentir una renovada y vibrante salud.[3]

En la arena pública, Mary Martin fue la primera persona en preguntarme acerca de cómo usar la digitopuntura para aliviar la artritis. Cuando ella me mostró las

articulaciones de sus manos la instruí sobre cómo presionar puntos que aliviarían su dolor. Mary insistió en que presentara métodos personales que capacitaran a la gente con artritis para que controlaran ellos mismo el dolor. Después de mostrarle cómo aliviar el dolor del cuello y del hombro (tal y cómo se ilustra en este libro), ella lo intentó por sí misma y exclamó: «¡es la primera vez que mi cuello se siente bien en años!».

He encontrado dos niveles mayores de mejoría: específicamente, resultados a corto y a largo plazo. Al principio, la mayoría de la gente experimenta una mejoría casi inmediatamente, claro está, si ejecuta la técnica de manera adecuada. La mayoría de la gente con la que he trabajado, y que tiene artritis crónica, presentan olas de mejoría y retroceso. Por ello, no espere una curación inmediata. Por mi experiencia clínica sé muy bien que la gente con antecedentes de artritis debe practicar de manera regular esta técnica de alivio de la artritis, para asegurar así los beneficios a largo plazo. Definitivamente, toma trabajo alcanzar los ideales del alivio del dolor y su prevención natural sin medicamentos. Los mejores resultados se observan en el trabajo formal de un programa combinado de ejercicios de estiramiento y autodigitopuntura tres veces al día.

Mi experiencia positiva trabajando con pacientes artríticos me motivó a iniciar un estudio preliminar usando las técnicas de este libro. Este estudio, probado con un grupo de cuarenta pacientes con artritis, es el punto central de mi tesis de doctorado en la Columbia Pacific University. Bajo la guía de mi asesor, el Dr. Jonnathan Shore, hemos sido capaces de demostrar que las técnicas del libro son verdaderamente útiles en la mayoría de la población artrítica examinada.

---

[3] Nota: Michael Reed Gach sistematizó sus investigaciones sobre el tema en *Acuyoga: Self-help techniques* (1981).

Espero que en un futuro cercano se realicen investigaciones que permitan ampliar y verificar los beneficios de estas técnicas para el alivio de la artritis.

Michael Reed Gach

CAPÍTULO I

ALIVIE
SU ARTRITIS
CON
DIGITOPUNTURA

ALIVIE SU ARTRITIS CON DIGITOPUNTURA

CUIDADO DE LA SALUD CON DIGITOPUNTURA

Como arte curativo, la digitopuntura es tan antigua como el instinto mismo: agarrarse espontáneamente una parte del cuerpo que nos duele, que está tensa o herida, o el impulso que obliga a alguien a doblarse y presionar el abdomen en respuesta a un fuerte retortijón, son ejemplos de la práctica instintiva de la digitopuntura. Por ello, podría ser la terapia física más antigua conocida.

Hace más de cinco mil años los chinos descubrieron determinados puntos en el organismo que, al ser presionados, pinchados o calentados, producen efectos benéficos en áreas dolorosas. Gradualmente, a través de la prueba de ensayo y error, y acumulando experiencia, se descubrieron más puntos que no sólo aliviaban el dolor sino que además ejercían influencia en el funcionamiento de determinados órganos internos. Actualmente se ha probado científicamente que estos puntos tienen una baja resistencia en la piel, es decir, que transmiten una mayor corriente de energía humana necesaria para mantenerse sano.

La digitopuntura tiene mucho en común con la acupuntura, otro método tradicional de la medicina china en el cual finísimas agujas se insertan en el cuerpo. La acupuntura y la digitopuntura utilizan los mismos puntos para promover la salud mediante la liberación de tensión y el incremento de la circulación sanguínea. La diferencia fundamental yace en el uso de agujas en la acupuntura y la suave pero firme presión de las manos (y los pies en algunas técnicas) usada en la digitopuntura. Aunque los chinos han desarrollado métodos más «técnicos» para estimular los puntos con agujas y electricidad, la más vieja de estas dos modalidades -la digitopuntura- sigue siendo la más efectiva para aliviar la tensión, los padecimientos relacionados con ésta y en la prevención de los mismos. Unas sesiones combinadas de acupuntura y digitopuntura han resultado especialmente útiles para el alivio del dolor producido por la artritis y el reumatismo.[4, 5, 6]

La acupuntura que presiona (comúnmente conocida como digitopuntura) puede ayudar a aliviar el sufrimiento que produce la artritis, sea traumática, tendinitis, o bien cualquier daño en los ligamentos que no sea lo suficientemente severo como para requerir cirugía.[7]

---

[4] *Tsubo.* Serizawa, Katsusuke. Japan Publications, 1976, pp.142 y 143.
[5] *The treatment of 100 common diseases by new acupuncture.* Medicine & Health Publishing Co., 1984, pp.22-23.
[6] *Acupuncture: A comprehensive text.* Shanghai College of Traditional Medicine, , Eastland Press, 1981, pp.606-607.

Las técnicas de digitopuntura se basan en el principio de que la enfermedad es el resultado de estresores internos (tensiones internas) que desafían los mecanismos de defensa y equilibrio del organismo más allá de sus límites. El dolor, la tensión y la constricción resultantes inhiben la capacidad del organismo para que se enfrente a la condición desestabilizante. Con el fin de aliviar el dolor, producir relajación muscular y armonizar las fuerzas vitales del organismo, la digitopuntura se concentra en un sistema de puntos (alrededor de los cuales se tiende a acumular la tensión muscular) y meridianos (que son los corredores a través de los cuales la energía bioeléctrica fluye de un punto a otro).

De acuerdo con el énfasis que la tradición china pone en el cuidado de la salud a través de la prevención de la enfermedad, la digitopuntura trata los síntomas como expresión global de la condición del individuo. Por lo tanto, el tratamiento con digitopuntura es válido no sólo a aliviar el dolor y el malestar sino también a responder a las toxinas y tensiones en el cuerpo antes de producir la enfermedad, es decir, antes de que la contracción y las toxinas causen daño a los órganos internos.

ALIVIO DEL DOLOR DE LA ARTRITIS

Hay puntos especiales en el organismo que, al presionarse adecuadamente, alivian el dolor tanto de las articulaciones como el muscular. Estos son los mismos puntos usados en la acupuntura, pero en vez de utilizar agujas usted puede estimular el alto potencial de éstos sólo presionándolos con los dedos.

La artritis, que literalmente significa «inflamación de las articulaciones», tiende a concentrarse alrededor de estos puntos. Cuando la articulación ha estado crónicamente inflamada -signo característico de la artritis- el ejercer presión sobre ella puede producir diversos tipos de molestia y dolor. La digitopuntura ayuda a aliviar el dolor articular relajando los músculos, lo que produce una mejoría en la circulación sanguínea. Al practicar diariamente esta técnica, el dolor producido por la artritis puede reducirse considerablemente.

Un incremento en la circulación también mejora la nutrición y la oxigenación de las áreas afectadas. Cuando la sangre y la energía fluyen adecuadamente se experimenta no sólo una disminución natural del dolor sino también un mayor sentido de alivio y bienestar. En la medicina china los puntos de la digitopuntura se consideran como la puerta de entrada del «chi», la energía eléctrica humana que corre a lo largo del cuerpo. Esta energía regula todos los sistemas del cuerpo, y su flujo sin restricciones es la llave para aliviar el dolor.

Ayudé a tratar (con masaje chino) a más de un centenar de pacientes a lo largo de dos meses... Cada paciente que ingresó en la clínica (en China) se sentía dramáticamente aliviado después de 30 a 60 minutos de masaje. No hubo excepciones... Era inconfundible... Ese masaje, cuando se aplicaba apropiadamente, hacía que los pacientes se sintieran más cómodos

[7] Keith, Kenyon. *Pressure points, Do it yourself acunpucture without neddles.* Arco Publishing Company Inc., 1977, p.15.

y más relajados, en pocos minutos y sin medicamentos.[8]

CÓMO TRABAJA LA DIGITOPUNTURA

Existen varias teorías que explican cómo la digitopuntura alivia el dolor. Una de ellas es la teoría «de la puerta del dolor», la cual sugiere que la transmisión de los impulsos dolorosos puede alterarse inhibiendo las señales de dolor enviadas al cerebro. La digitopuntura (y las agujas de acupuntura) producen una suave pero regular disminución de la estimulación dolorosa, la cual cierra las «puertas» del sistema de señales dolorosas. De esta forma las sensaciones dolorosas no pueden alcanzar el cerebro a través de la médula espinal.[9]

Una segunda teoría afirma que cuando se presionan los puntos de digitopuntura por largos periodos de tiempo (más de un minuto) el organismo libera sustancias neuroquímicas conocidas como endorfinas. El mecanismo de éstas es similar al de la morfina: mitiga el dolor y produce relajación muscular. Sin embargo, las endorfinas se producen en forma natural por el organismo para promover la salud. La digitopuntura estimula este proceso natural capacitando así al organismo para que produzca sus propios analgésicos.

Tanto el masaje generalizado como el focal del cuerpo son técnicas útiles

para controlar el dolor. El masaje general ayuda a crear un sentimiento de relajación y confort y, normalmente, es muy útil para ayudar a los pacientes a recuperar la motilidad de sus articulaciones.[10]

ACERCA DEL ESTRÉS

Naturalmente, la cantidad de tensión y de estrés en su vida pueden afectar el dolor. Todos los factores de su estilo de vida que afectan a su salud y bienestar, como por ejemplo su postura, dieta, la cantidad de ejercicio que realice, etc, también influyen en su artritis. Como una computadora, el cuerpo humano recoge y almacena información biológica dentro de él. El estrés emocional y los sentimientos reprimidos, por ejemplo, pueden localizarse en los músculos. Estas tensiones contribuyen frecuentemente a causar debilidad de la constitución general, repercutiendo en un empeoramiento de su artritis y del dolor. Parte de nuestro programa se encaminará a disminuir el estrés global.

CÓMO LOCALIZAR LOS PUNTOS

De los cientos de puntos de la digitopuntura localizados en el cuerpo, la mayoría se encuentran debajo de un grupo muscular mayor o siguen el trayecto del hueso, residiendo en las articulaciones o en la concavidad de los huesos. Cada punto puede ser encontrado en relación a

[8] Eisenberg, David. *Encounters with Qi.* Penguin, 1975, p.113

[9] Tan, Leng T., Tan, Margaret Y.C. y Veith, Ilsa. *Acupuncture theraphy–Current chinese practice.* Temple University, 1973.

[10] Norman Shealey. *The pain game.* Celestial Arts, 1976, p.95.

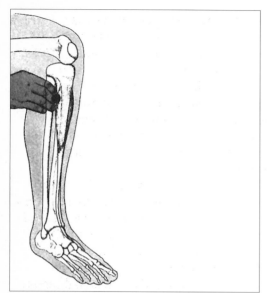

determinadas referencias anatómicas del cuerpo tales como el ombligo, un músculo específico o bien en el pliegue posterior de la rodilla. A través de la lectura de los capítulos de este libro usted será capaz de reconocer con sus dedos las referencias más importantes ilustradas y descritas que le permitirán localizar el punto adecuado.

Con el fin de encontrar un determinado punto con sus manos, concéntrese para sentir un tendón o la concavidad de un hueso de la estructura ósea. Sienta las ligeras depresiones entre los músculos y los tendones en cada punto. Una vez que usted haya encontrado un tendón, presione directamente sobre él; o si encuentra una depresión ósea presione suave y directamente sobre ella en ángulo de 90 grados desde la superficie de la piel.

SISTEMA NUMÉRICO DE LOS PUNTOS DE DIGITOPUNTURA

En este libro iremos identificando los doce puntos más importantes de la digitopuntura

para la prevención y alivio del dolor de la artritis. Se presentarán también algunos puntos adicionales; sin embargo, no se preocupe por la complejidad del sistema de numeración asignado a estos puntos. Referencias tales como «Sp 9» o «St 36», relacionados con el sistema tradicional de los puntos de acupuntura/digitopuntura se incluyen sólo para el beneficio de los profesionales en la materia. *Usted no necesita conocer o recordar ninguno de estos números para practicar el Programa de Alivio del Dolor de la Artritis.*

CÓMO PRESIONAR LOS PUNTOS

Aunque en cada uno de los puntos sentirá algo diferente, cada punto es indicado por un determinado grado de sensibilidad al dolor dependiendo de la presión. Si hay dolor o sensibilidad extrema (o un incremento de ésta), disminuya gradualmente la presión hasta que obtenga un adecuado balance entre dolor y placer. Es importante ejercer una presión prolongada aplicando los dedos directamente en el lugar artrítico doloroso: una presión gradual, firme y penetrante, por espacio de tres a cinco minutos es lo ideal. Usted debe observar que el dolor que experimentará inicialmente por la presión de los dedos aliviará simultáneamente el dolor artrítico. Cuando usted presiona durante un tiempo suficiente, usando el dedo medio (con los dedos índice y anular como apoyo a ambos lados), el dolor disminuirá, indicando que la digitopuntura está funcionando.[11]

---

[11] El dedo medio es el más largo y fuerte de sus dedos. El dedo pulgar también es fuerte pero no es igual de sensible. Si su mano está débil o le duele al aplicar la presión con los dedos, es aceptable que use los

Después de varias sesiones con diferentes grados de presión empezará a sentir pulsaciones en el lugar doloroso: éste es un buen signo: indica un incremento en la circulación. Trate de identificar el tipo de pulsación que siente. Si es ligera o débil, presione el punto por más tiempo hasta que sienta que el pulso se vuelve más fuerte y profundo. Si la pulsación pareciera vibrar, continúe presionando hasta que ésta se vuelva más regular.

Aunque usted pueda estar tentado a masajear o friccionar toda el área dolorosa, es mejor presionar firmemente el punto de manera directa. Esta es la forma más efectiva de aliviar el dolor. Si sus manos llegaran a cansarse, retire lentamente la presión del punto, agítelas suavemente y respire profundo unas cuantas veces. Cuando esté listo regrese al punto y aplique presión gradualmente hasta llegar al momento en que el dolor resulta «agradable». De nuevo, presione directamente en el sitio doloroso (que frecuentemente se mueve, así que trate de permanecer en él), hasta que sienta una pulsación clara y regular o bien hasta que disminuya el dolor.

El método práctico para presionar los puntos es aplicar la presión en ángulo de 90 grados (diagonal) a la superficie de la piel. Es importante recordar que debe aplicar la presión gradualmente. Mientras mayor capacidad tenga para concentrarse en presionar con sus dedos o con sus manos lentamente sobre el punto, más efectivo será. Haga sus manos fuertes y elegantes al aplicar la presión en forma gradual.

nudillos, el puño u otras herramientas como el hueso de un aguacate, una pelota de golf o la goma de borrar de un lápiz.

Otro principio importante es usar el cuerpo inclinando su peso sobre el punto. Esto es muy importante, sobre todo si usted está usando su mano para apretar o presionar el punto. Incline gradualmente el peso hacia el punto mientras presiona y permanezca así mientras respira, varias veces, lenta y profundamente. Presione cada punto al menos tres minutos mientras respira profundo.

Recuerde que es importante iniciar y terminar la presión tan lentamente como sea posible. La aplicación y liberación gradual de la presión permite que los tejidos respondan, favoreciendo así la curación.

Cada cuerpo y cada área del cuerpo requerirán una cantidad de presión diferente. Si duele mucho cuando aplica la presión en un punto o articulación artrítico, tóquelo y no presione. Tocarlo suavemente sin frotar puede ser muy efectivo para aliviar el dolor y la inflamación.

Hay determinadas áreas del cuerpo que tienden a ser más sensibles, tales como la cara, pantorrillas y área genital. Muchos prefieren una presión más profunda en las partes posteriores: cuello, espalda y nalgas. La cantidad adecuada de presión varía de persona a persona, dependiendo del ejercicio que cada uno esté acostumbrado a hacer. Mientras más desarrolladas estén las masas musculares mayor deberá ser la presión que se aplique.

CÓMO USAR LA DIGITOPUNTURA PARA ALIVIAR EL DOLOR

Los puntos que alivian la artritis pueden ser fácilmente estimulados mientras se encuentra sentado en una silla confortable, pero para mejores resultados presiónelos cuando esté tendido y relajado en una cómoda posición, con los ojos cerrados. Tome las articulaciones dolorosas cerca de los puntos de la digitopuntura (ilustrados a lo largo del libro) por lo menos tres minutos, respirando profundamente desde su abdomen. La respiración ayuda a liberar los puntos y a que se ponga en circulación la energía a través de las articulaciones y a lo largo del cuerpo, permitiendo la curación. Mientras más frecuentemente practique su rutina de digitopuntura, mayor será la sensación de relajación y de bienestar que experimentará.

Una manera fácil de localizar los puntos de digitopresión es la de masajear firmemente el área cuando siente dolor. La inflamación, tensión y dolor se centran con frecuencia en estos puntos. Una vez que haya encontrado el punto que parece estar más directamente unido al dolor, coloque los dedos en ese punto durante unos minutos sin moverlos. Luego sienta cuáles son los músculos y los tendones contraídos o los tejidos inflamados y presione de nuevo unos cuantos minutos sin mover los dedos. Incida siempre en los puntos lentamente y libere la presión en forma gradual, terminando con un toque firme pero ligero.

Un área dolorosa debe presionarse suavemente, sin ningún movimiento, por lo menos durante tres minutos. Sentir dolor cuando se ejerce la presión indica cierto grado de bloqueo de la circulación que rodea al punto. No presione rápido ni fuerte en áreas dolorosas[12]. Unos cuantos minutos de digitopresión aplicada gradualmente en esos puntos dolorosos ayudan a cerrar las puertas de su dolor.

Algunas veces, cuando está presionando el punto, podrá sentir dolor en alguna otra parte del cuerpo. A esto se le conoce como «dolor referido»: indica que estas áreas se encuentran relacionadas. Observe cuáles son estas áreas dolorosas y presione también allí. Recuerde que para incrementar la efectividad debe respirar profundamente, y permítase una completa relajación con los ojos cerrados por unos minutos después de practicar la digitopuntura.

La relajación profunda es la clave para obtener el beneficio máximo de la digitopuntura y de otras técnicas de alivio de la artritis. El proceso de curación se completa al relajarse profundamente después de practicar estas rutinas. Para mejores resultados, sería conveniente que tomara una pequeña siesta después de practicar los ejercicios. Este sueño profundo, aunque sea por pocos minutos, servirá para aliviar, estabilizar y fortalecer las articulaciones.

---

[12] Si su artritis se inflama; o en otras palabras, si cualquier área de su cuerpo se pone alarmantemente inflamada, roja o muy dolorida, deje descansar esa parte uno o dos días.

CAPÍTULO II

PREGUNTAS Y RESPUESTAS

PREGUNTAS Y RESPUESTAS

Antes de comenzar con los ejercicios, responderé algunas preguntas que comúnmente me formulan.

1. ¿Qué hace la digitopuntura para aliviar la artritis?

Tanto la digitopuntura como los ejercicios descritos en este libro estimulan lentamente todas las partes del cuerpo, liberando la tensión muscular y, con ello, incrementando la circulación sanguínea. La medicina occidental apenas empieza a reconocer la importancia del ejercicio diario, la disminución de las actividades que producen estrés y la relación entre tensión muscular crónica y muchos trastornos dolorosos. Lo que es nuevo en la medicina occidental es el concepto de la medicina china de que la estimulación de ciertos puntos activos del cuerpo puede ayudar a estimular ciertos órganos. Sugiero a mis clientes que consulten con su médico para un diagnóstico y tratamiento. Que quede claro: la digitopuntura y las técnicas fáciles de autoayuda que alivian el dolor de la artritis descritas en este libro pueden ser un excelente coadyuvante, pero no deben considerarse como un substituto del tratamiento médico.

2. ¿Estas técnicas curarán mi artritis?

No. Sin embargo, pueden disminuir el dolor sustancialmente, lo que le ayudará a sentirse mejor y más relajado. Mucha gente está descubriendo que el estiramiento suave y el uso del masaje son medios importantes para aliviar el malestar.

3. ¿En qué se basan las técnicas descritas en este libro?

Alivie su artritis con digitopuntura se basa en los puntos y principios de la tradicional medicina china, la cual hace énfasis en la prevención de la enfermedad, relacionando las causas internas que le dan origen y tratando de manera global a la persona. Cada ejercicio estimula de manera natural series de puntos clave de la digitopuntura.

4. ¿En cuánto tiempo se obtienen los beneficios de su programa?

Un máximo de 15 minutos por sesión, dos o tres veces al día, es todo lo que usted necesita. He diseñado tres diferentes rutinas básicas diarias entre las cuales podrá elegir. La Rutina de Estiramiento con Digitopuntura, una sesión de automasaje matutino al despertar, toma quince minutos. Las series Refrescantes para el Mediodía y las rutinas de Relajación para la Noche toman diez minutos cada una. Al principio las rutinas consumirán más tiempo, ya que usted aún no estará acostumbrado a los ejercicios. Cuando conozca las secuencias las realizará de manera más rápida y fluida.

La mayoría de la gente siente alivio parcial después de practicar unas cuantas veces estas técnicas. Generalmente es necesario trabajar dos o tres veces al día durante unos seis meses para obtener resultados sustanciales. Una vez que haya alcanzado este estado es importante realizar al menos quince minutos de digitopuntura en sus puntos favoritos y ejercitarse dos veces al día para mantener su salud y prevenir recaídas futuras.

5. ¿Hay que seguir reglas básicas cuando se practica esta técnica?

Realice sus movimientos de manera lenta, graciosa y rítmica. Cuide su cuerpo y su postura. Mantenga su mente en calma y alerta. Permítase alejar sus problemas y responsabilidades mientras practica conscientemente estos ejercicios. Los beneficios terapéuticos se incrementan cuando su mente y su cuerpo trabajan juntos.

Elija los ejercicios en los que usted disfruta. Ejecute aquéllos que están de acuerdo con su condición física y confort personal. Procure no excederse con ningún ejercicio en particular. Incremente de forma gradual la cantidad de tiempo que dedica a la realización de la técnica para desarrollar condición física y aguante. Al terminar las series, relájese con los ojos cerrados durante unos minutos. La relajación profunda aumenta los beneficios.

6. ¿Es necesario que crea en la medicina oriental y en la acupuntura para obtener los beneficios?

No, por supuesto que no. Sólo practique las rutinas y sienta por sí mismo los efectos que producen.

7. ¿Dónde deben practicarse estas rutinas?

Podrá hacerlas en cualquier parte: en su casa, en la oficina, o aun cuando esté esperando el autobús. Sin embargo, es recomendable que algunas técnicas («el Grito de Tarzán», por ejemplo) las practique en privado. Otras técnicas de automasaje como el masaje, de las manos, el cuello etc., podrá realizarlas fácilmente en cualquier situación.

8. ¿Qué ropa debo usar?

Podrá hacer estos ejercicios estando completamente vestido; sin embargo, es preferible usar ropa ligera. No es necesario usar «ropa de deporte». Mucha gente suele usar shorts y camiseta.

9. ¿Cuándo es preferible practicar la técnica del alivio de la artritis?

Podrá hacerlo en cualquier momento. Por conveniencia, he diseñado rutinas diarias para la mañana, el mediodía y la noche. La rutina de la mañana deberá practicarse poco después de haberse levantado, aunque puede hacerla a cualquier hora del día. Las series del mediodía podrá hacerlas en cualquier momento, inclusive varias veces en un día agitado. La rutina de la noche es un buen programa de relajación para practicar antes de ir a la cama; sin embargo, también podrá hacerlo a cualquier hora del día. Junto con estas rutinas diarias, practique también las técnicas de otros capítulos descritas en este libro que se relacionan con áreas específicas donde padece de dolor o tensión. Por ejemplo si tiene artritis en los dedos, practique las técnicas de autoayuda que se describen en el capítulo de manos. Practique algunos de sus ejercicios favoritos para su área específica de dolor aun cuando haya realizado la rutina diaria o alguna serie de ejercicios específicos para aliviar la artritis.

10. ¿Es importante seguir exactamente igual las rutinas?

No, pero recomiendo que al principio siga las rutinas tal y como se indica. Cuando las haya aprendido podrá adaptar las técnicas a sus propias necesidades y preferencias.

11. ¿Si padezco de dolor en el cuello, es necesario evitar estos ejercicios?

No necesariamente. Después de un accidente o lesión, muchos músculos se contraen. La digitopresión podrá ayudar a aflojar estos músculos y a mejorar la circulación. Si su cuello está sensible sea cuidadoso y practique las rutinas en forma lenta. Le sugiero que consulte primero con su médico.

12. ¿La práctica de algunas rutinas debe doler?

La idea no es la de producir dolor. Si algo le duele le sugiero que progrese en forma lenta y suave. Sin embargo, ocasionalmente encontrará áreas de su cuerpo que están tensas o muy sensibles, como sus hombros o el cuello. Presionando o tocando de manera suave, ayudará a liberar algo de tensión y obtendrá alivio.

13. ¿Aquellas personas que se encuentran enfermas o postradas en cama pueden practicar los ejercicios de Alivio del Dolor de la Artritis?

Sí, no es necesario encontrarse en las mejores condiciones de salud para realizar los ejercicios. Sin embargo, nuevamente sugiero que consulte a su médico antes de incluir mi rutina de ejercicios en su rutina diaria de tratamiento.

14. ¿Qué grupos de edad pueden practicar estos métodos de alivio del dolor?

Estas técnicas de autoayuda podrán ser usadas por todos, jóvenes y viejos por igual. Una vez que se haya familiarizado con las rutinas, serán sencillas y divertidas. Podrá practicarlas con su familia. He encontrado que a los niños les gusta hacer estos ejercicios junto con sus padres y abuelos.

15. ¿Estos métodos son seguros?

Sí, siempre y cuando use su sentido común. Empiece siempre en forma lenta. Cuando practique observe cómo se siente su cuerpo. Si tiene preguntas, le sugiero que consulte con su médico de la misma forma que lo haría antes de iniciar cualquier rutina de ejercicios.

16. ¿Estos métodos reemplazan al ejercicio?

No. La autodigitopuntura y el estiramiento no deben confundirse con ejercicio, especialmente el ejercicio aeróbico; sin embargo, podrá practicarlos junto con un programa de ejercicio siempre y cuando sea aceptado por su médico. Estos ejercicios, por supuesto, pueden hacerse solos.

17. ¿Cómo puedo incorporar estas rutinas a mi programa de ejercicio diario?

Podrá incluir algunas de las rutinas a su programa de ejercicios, tanto al comienzo como al final. Por ejemplo, después de dar una vigorosa caminata, podrá hacer algunos ejercicios de la rutina de estiramiento de la digitopuntura para incrementar la circulación y beneficiar así los músculos de las piernas. O podrá estar deseoso de practicar la técnica de relajación de la noche para calmar y armonizar todo el cuerpo.

18. ¿Puedo realizar estas técnicas de autoayuda con música?

Podrá hacerlo si así lo desea. Cualquier tipo de música podrá usarse para complementar el tratamiento de alivio de la artritis, desde la música clásica hasta la moderna. La rutina de la noche está diseñada para relajarse, así que si desea escuchar música, sería preferible usar aquélla que le permita relajarse.

19. ¿Puedo usar estos métodos con otras personas?

Muchas de estas técnicas están diseñadas para la autoaplicación. Sin embargo, algunas de las rutinas podrá practicarlas con algún amigo. Por ejemplo, las técnicas para las manos y los pies, podrá realizarlas con cualquier persona.

Si realmente desea aprender cómo usar la digitopuntura en otros, estudie sus diversas formas y estilos: masaje digitopuntura, Zen Shiatsu y pies descalzos, Acu-Yoga y digitopresión Jin Shin.

Vea la página 219 de este libro para mayor información acerca del entrenamiento en digitopuntura.

20. ¿Puedo excederme con algunas de estas técnicas?

Muchas buenas cosas pueden exagerarse. Deliberadamente he diseñado rutinas cortas para que todos puedan hacerlas sin excederse. Pero si realmente las disfruta podrá desear dedicarles más tiempo. Aunque dos o tres veces al día, totalizando alrededor de una hora, es lo que se recomienda normalmente, podrá aumentarlo de manera cuidadosa y gradual hasta un máximo de dos horas, estando siempre alerta a los mensajes de su cuerpo.

21. ¿Debo hacer toda la serie, o podré hacer sólo parte de ella?

Puede hacerla toda o sólo una parte. Puede crear su propio programa. Sin embargo, al principio le sugiero que practique las rutinas tal y como se presentan.

22. ¿Pueden practicar estas técnicas las mujeres embarazadas?

Consulte primero a su médico. Durante el embarazo, la digitopuntura deberá practicarse en forma lenta, especialmente en las áreas alrededor de los hombros. Si está embarazada, le sugiero que evite presionar la región abdominal y el área entre los dedos pulgar e índice. Está prohibido estimular estas áreas durante el embarazo porque pueden provocar contracciones uterinas prematuras.

23. ¿Qué puedo hacer para aliviar la preocupación que siento cuando tengo dolor? ¿Qué factores pueden con frecuencia bloquear la capacidad que tiene un individuo para aliviar su artritis?

Cuando se sorprenda dudando o preocupándose, respire profundo y convierta sus preocupaciones en razones para amarse.

En su búsqueda de una solución para el alivio de la artritis, frecuentemente surgen expectativas acerca de cómo obtener una cura o alivio inmediato. Las expectativas conllevan decepciones, no curación. Con el fin de ayudarse, deberá escuchar los mensajes de su cuerpo. Esta apertura le capacitará para saber lo que necesita su cuerpo, cuándo y cuánta presión aplicar sobre articulaciones específicas, cuáles son sus limitaciones, cuánto puede estirarse y cuándo necesita relajarse. En vez de centrarse tan sólo en lo que espera, deberá estar atento a las señales de su cuerpo con el fin de tomar un papel activo en la curación de su artritis en forma natural y sin drogas.

Frecuentemente deseamos que el dolor desaparezca, gastando energía, preocupándonos, quejándonos amargamente o resistiendo el dolor en vez de enfocar dónde se encuentran nuestras constricciones y seleccionar las técnicas de autoayuda y los puntos de digitopresión que tienen incidencia en estas áreas. En otras palabras, intente reemplazar sus dudas, preocupaciones y expectativas (que sólo le restan energía) con su fuerza de voluntad, su fe, la posibilidad de alivio y la confianza en usted mismo para seleccionar actividades saludables y situaciones que le den mayor energía y un sentido de vitalidad.

24. ¿Además de las sugerencias y de las técnicas de este libro, qué puedo hacer para un ulterior alivio del dolor de mi artritis?
Recibir algunas sesiones privadas de digitopresión o digitopresión Jin Shin, así como aplicar calor a los puntos de digitopuntura (un método llamado moxabustión), hecho por un profesional podrá ayudarle en forma importante en el alivio de su artritis. Considere tomar una siesta después de la realización de los ejercicios para aumentar al máximo los beneficios.

Para recibir un directorio de profesionales en digitopuntura, envíe 3 dólares:

Acupressure Institute
1533 Shattuck Avenue
Berkeley, California 94709

No olvide consultar su librería y su tienda naturista para mayores referencias sobre profesionales y terapistas de masaje. Los acupunturistas relacionados en las páginas amarillas del directorio telefónico le serán de utilidad.

CAPÍTULO III

CAUSAS DE LA ARTRITIS

CAUSAS DE LA ARTRITIS

En este capítulo me gustaría contemplar brevemente las principales causas y tipos de artritis, incluyendo una perspectiva oriental. La información aquí proporcionada no es necesaria para practicar las técnicas descritas a continuación. Así que si se encuentra ansioso por iniciar los ejercicios para aliviar la artritis, siéntase libre de saltarse este capítulo y regresar a él posteriormente.

La artritis puede ser causada por tendencias familiares y genéticas, estreptococos, tensión muscular crónica y otros factores de estrés. Esto, junto con una pérdida del movimiento y una pobre circulación, pueden eventualmente producir una congestión articular con inflamación e irritación.[13]

La dieta puede ser otro factor contribuyente en algunos tipos de artritis.[14] Muchos expertos están de acuerdo en que es útil disminuir el consumo de carnes rojas, quesos añejos, sal y azúcar.[15] Cuanto más fáciles de digerir sean los alimentos que consume, menor cantidad de productos de desecho producirá su metabolismo. Es mejor sustituir estos alimentos por vegetales frescos (tanto crudos como cocidos), granos enteros cocidos (el mijo es el mejor), limonada caliente[16] (el jugo de medio limón mezclado con una taza de agua caliente) y una moderada cantidad de fruta de la estación.

Otras causas de artritis incluyen lesiones directas sobre las articulaciones. Esto puede sobrevenir de un accidente, como una caída o bien de un esguince o torcedura. Cuando ocurre una lesión,

…un método efectivo para recobrar la salud de la parte lesionada es de gran valor. La acupuntura con presión puede ser de considerable ayuda. Para aquellos que se encuentran cercanos o han alcanzado la edad media, el ejercicio adecuado es importante para la salud y el bienestar. Es difícil hacerlo cuando se sufre artritis, bursitis, tendinitis o bien molestias en algún grupo de músculos necesarios para llevar a cabo el ejercicio. Hay diversos nombres para estas enfermedades, tales como codo de tenista, tracción del tendón de la corva, calambres, ciática, etc. La gente joven muy probablemente no padezca tanto de artritis como la gente mayor, pero es

[13] Leonard Mervyn, *Rheumatism and Arthritis,* Thoron Science of Life Series, 1986, pp.10-11.
[14] Ver el capítulo sobre dietas, alimentos y recetas para obtener más información.
[15] Naboru Muramoto, *Healing Ourselves,* Avon Publishers, 1973, p.118

16 Elson Haas, M.D., *Staying Healthy with the Seasons,* Celestial Arts, 1981, p.42

susceptible a esguinces y desgarros musculares: tanto la acupuntura con presión como la digitopuntura son útiles para tratarlos. Y pueden practicarse en el mismo campo de juego como en el cuarto de la televisión.[17]

La artritis también puede desarrollarse como consecuencia del exceso de uso de una o más articulaciones. Los gimnastas, por ejemplo, tienen tendencia a desarrollar artritis debido a sus enérgicos ejercicios. Este tipo de artritis requiere de descanso y protección de las articulaciones junto con las técnicas de autoayuda descritas en este libro.

LOS CINCO PRINCIPALES TIPOS DE ARTRITIS

Hay alrededor de cien tipos de artritis. Es importante establecer un diagnóstico correcto del tipo de artritis que usted padece. Le recomiendo que visite a un médico que trabaje con métodos holísticos de salud, tales como ejercicios y nutrición, con el fin de que se le establezca un diagnóstico individualizado y se le brinde consejo y pronóstico de su caso.

En este capítulo discutiremos inicialmente los cinco principales tipos de artritis[18] según la medicina occidental; posteriormente exploraremos los cuatro tipos que propone la medicina tradicional china.

1. **Osteoartritis.** Normalmente es una artritis moderada que incluye el desgaste del cartílago y, en ocasiones, del hueso. En forma típica afecta los dedos, rodillas, columna vertebral y cadera. El ejercicio regular es muy importante para prevenir y remediar las condiciones osteoartríticas existentes.

2. **La artritis reumatoide** es en términos generales una situación más seria. En sus formas más severas, y sin tratamiento, puede producir deformación de las articulaciones. La inflamación crónica puede afectar las articulaciones, piel, músculos, vasos sanguíneos, incluso corazón y pulmones (en casos raros). Afecta varias articulaciones y produce una enfermedad generalizada así como daño al tejido de las articulaciones. El tratamiento de la artritis reumatoide incluye un balance adecuado entre descanso y ejercicio. El programa de ejercicios se desarrolla mejor con la ayuda de un médico.

3. **Lupus Eritematoso Sistémico.** Afecta principalmente a las mujeres. Afecta también la piel, articulaciones y algunos órganos internos. Un diagnóstico precoz y un tratamiento adecuado hacen que esta enfermedad sea más fácilmente tratable.

4. **Espondilitis Anquilosante.** Es una condición clínica que afecta la columna vertebral, en la cual se fusionan las articulaciones. Puede afectar también los hombros, las rodillas, los tobillos, ojos, pulmones y corazón.

5. **Gota.** Es una condición aguda y dolorosa que afecta alrededor de un millón de

---

[17] Keith Kenyon, M.D., *Pressure Points: Do-It-Yoursef Acupunture Without Needles,* Arco Publishing Company Inc. 1977, p.15

[18] Para más información, lea Dr. James Fries, *Artritis, A Comprehensive Guide,* Addison-Wesley, 1979.

norteamericanos, generalmente varones. Resulta de un trastorno químico que favorece que se produzca y acumule en el organismo una mayor cantidad de ácido úrico. Durante «un ataque gotoso» el ácido úrico forma cristales que se depositan en las articulaciones, frecuentemente en el dedo gordo del pie, causando inflamación.

LA PERSPECTIVA ORIENTAL DE LA ARTRITIS

De acuerdo con la medicina tradicional china, hay cuatro tipos principales de artritis: viento, calor, frío y humedad. El tipo viento de artritis se caracteriza por el dolor que causa el movimiento. En la artritis calurosa se observa enrojecimiento y notable inflamación. Al tacto puede sentirse caliente. La artritis fría se caracteriza por presentar articulaciones turgentes y dolorosas que son sensibles a los cambios de la humedad (por ejemplo la lluvia, la neblina o la elevada humedad relativa). La artritis húmeda, duele generalmente con los cambios de clima, cuando baja la temperatura o cuando se avecinan tormentas.

Es importante señalar que estos cuatro tipos pueden combinarse de diferentes maneras. Antes de describir estas combinaciones, debo mencionar que el viento es el «primer demonio», esto es, que cuando el viento sopla puede traer otros «demonios» (calor, humedad, frío) al cuerpo. Esto puede observarse en la combinación de artritis viento y artritis húmeda, un tipo de artritis que prevalece especialmente entre gente mayor. Este síndrome es análogo al reumatismo de la medicina occidental. Su sello característico es el frío, inflamación y

dolor que se producen en relación a los cambios del clima -temperaturas tibias y/o signos de clima frío y húmedo. Muchas culturas incluyen este síndrome en sus tradiciones populares como una manera de predecir el clima de acuerdo con los cambios experimentados individualmente en las articulaciones.

La otra combinación importante es la de calor y humedad. Esta combinación se reconoce por producir enrojecimiento, tumefacción y dolor de las articulaciones. En la medicina occidental este tipo de artritis es conocida como artritis reumatoide y es una afección seria.

Hay puntos de digitopuntura generales y específicos para proceder con estos cuatro tipos de artritis. El punto número 1 es el

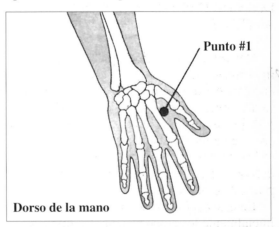

Punto #1

Dorso de la mano

punto general para aliviar los cuatro tipos. Este punto antiinflamatorio se localiza en el tejido entre los dedos pulgar e índice.

ARTRITIS CALIENTE

El tipo de artritis roja e inflamada puede aliviarse estimulando regularmente el punto Sp 10[19] Este punto se localiza dentro del muslo, tres dedos por arriba de la rodilla. Este punto probablemente sea delicado a la presión. Presiónelo suave pero firmemente hasta que la molestia casi desaparezca.

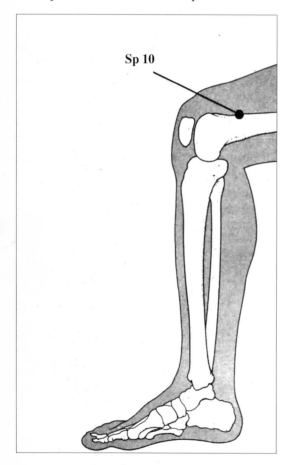

ARTRITIS VIENTO

Este tipo de dolor artrítico, que se mueve ocasionalmente, puede acompañarse de fiebre y escalofríos. Puede mejorar presionando el punto número 1 (entre el dedo pulgar y el índice), punto #7, punto #9, punto 12 y el GB 31.

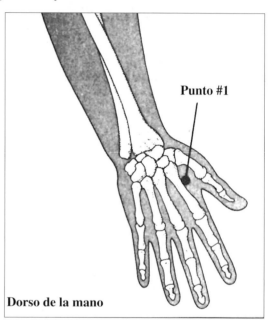

Dorso de la mano

---

[19] Estos números se refieren al sistema de puntos de acupuntura/acupresión del cuerpo. Cada punto está en una vía que está ligada a un órgano interno y recibe su nombre. Usted no debe aprenderse estos números de memoria.

Punto #7: se localiza en el músculo del hombro, justo por arriba de la punta de la paleta del hombro.

Punto# 12: se localiza en el empeine, entre los huesos del cuarto y quinto dedos. Deslice su dedo índice dos centímetros y medio arriba del tejido entre el dedo pequeño y el índice. Sienta un punto sensible presionando entre los huesos justo abajo de su coyuntura.

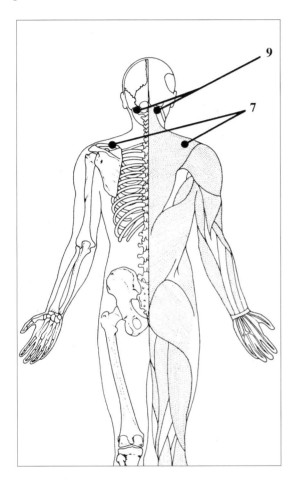

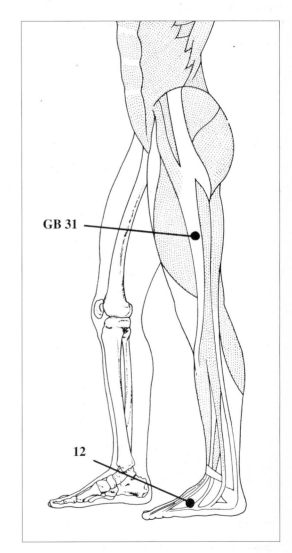

Punto #9: se localiza bajo la base del cráneo, a medio camino entre la columna y el extremo del lóbulo de la oreja. **GB 31**: se localiza en el extremo externo del muslo, entre la rodilla y las crestas ilíacas (hueso de la cadera). Su dedo medio estará en el punto GB 31 cuando se pare con los hombros relajados y con los brazos a los lados. Sienta el punto más sensible de su muslo.

ARTRITIS FRÍA Y HÚMEDA

Notará que en los tipos frío y húmedo el dolor tiende a agravarse con el movimiento y con el frío, mientras que el calor mejora el dolor. Use el Punto del estómago 36 (St 36), localizado en la parte de afuera de la pierna, cuatro dedos por debajo de la rótula.

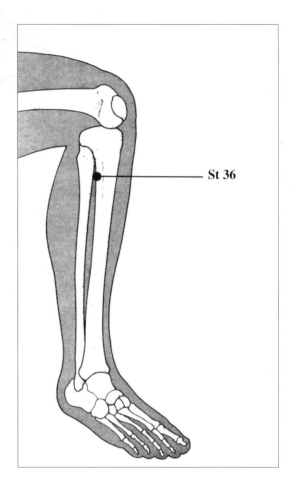

St 36

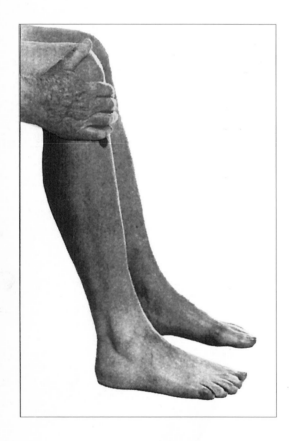

Este punto está bajo un músculo que crujirá cuando mueva su pie arriba y abajo. St 36 ayuda a aliviar dolores musculares generalizados y es el punto más usado para revitalizar todo el cuerpo.

CAPÍTULO IV

LOS DOCE PUNTOS QUE ALIVIAN LA ARTRITIS

LOS DOCE PUNTOS QUE ALIVIAN LA ARTRITIS

Como hemos señalado, hay puntos especiales de digitopuntura que vitalizan articulaciones específicas y gradualmente recomponen el sistema y alivian la artritis y el reumatismo. Estimulando estos puntos diariamente con presión ejercida con los dedos y calor o compresas húmedas, usted podrá mejorar su condición general y controlar su artritis.

En este capítulo aprenderá los doce puntos más importantes para la prevención y alivio del dolor que produce la artritis. El Dr. Norman Shealy, director del Pain Rehabilitation Center en Wisconsin ha reconocido que ha hallado algunos de estos puntos «muy útiles en el tratamiento del dolor»[20].

De hecho, si usted cuenta tanto el lado derecho como el izquierdo de su cuerpo, hallará un total de veinticuatro puntos, doce a cada lado. Esta sección numera estos puntos del uno al doce y contiene una descripción de la localización, la forma adecuada de aplicar la digitopresión, así como los beneficios de estos importantes puntos de alivio de la artritis. Al final de este capítulo encontrará instrucciones específicas sobre cómo presionar estos puntos en usted mismo.

LOS DOCE PUNTOS QUE ALIVIAN LA ARTRITIS[21]	
Punto 1 es LI 4	Punto 7 es TW 15
Punto 2 es Lu 10	Punto 8 es B 10
Punto 3 es TW 5	Punto 9 es GB 20
Punto 4 es LI 10	Punto 10 es B 47
Punto 5 es LI 11	Punto 11 es ST 36
Punto 6 es SI 10	Punto 12 es GB 41

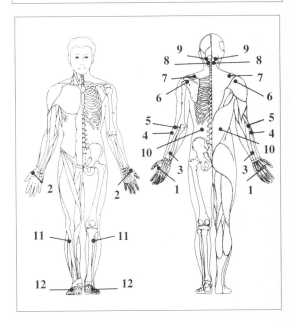

[21] Estos números se refieren al sistema de puntos de acupuntura/acupresión del cuerpo. Cada punto está en una vía que está ligada con un órgano interno y recibe su nombre. No es necesario que conozca estos números; están anotados aquí principalmente por motivos de referencia profesional.

[20] Norman Shealy, M.C., *The Pain Game,* Celestial Arts, 1976, p.95.

Punto #1

Localización: Al unir los dedos pulgar e índice, notará en el dorso de la mano una protuberancia que se ubica al finalizar el pliegue que se forma de la unión de ambos dedos. El punto #1 se localiza en el centro de dicha protuberancia. Presiónelo en dirección al hueso del dedo índice.

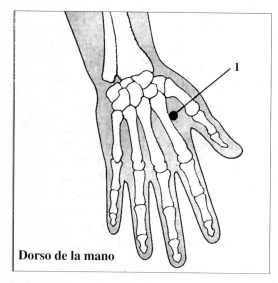

Dorso de la mano

Aplicación de los dedos: Presione el tejido muscular (entre el dedo pulgar y el índice), angulando la presión hacia el hueso del dedo índice.

Beneficios: este punto antiinflamatorio ha sido usado para aliviar el dolor causado por la artritis en todas las áreas del cuerpo, particularmente en las manos, las muñecas, codos y hombros. Ha sido usado también para aliviar el dolor del cuello, migraña, dolor de muelas, constipación y neuralgias.

Punto #2

Localización: se ubica en la palma de la mano, en el centro de la región tenar (cojincillo de la base del dedo pulgar).

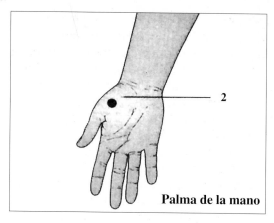

Palma de la mano

Aplicación de los dedos: aplique una presión firme en el centro de la zona.

Beneficios: alivia la artritis de las manos, dolor de garganta, molestias estomacales, anorexia y abuso de bebidas alcohólicas.

Punto #3

Localización: El punto #3 se localiza al doblar la mano hacia atrás. Este punto se encuentra en la parte exterior del antebrazo, dos dedos hacia abajo del repliegue de la muñeca (aproximadamente una pulgada y media). Presione con firmeza entre los dos huesos del antebrazo (radio y cúbito).

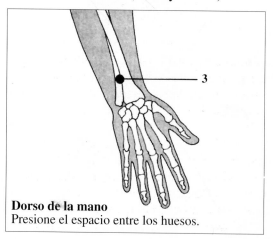

Dorso de la mano
Presione el espacio entre los huesos.

Aplicación con los dedos: para mejores resultados deberá presionar este punto en forma firme y prolongada. Puede usar los dedos gordos o cualquier otro dedo con el cual le resulte más fácil. Para obtener una presión firme, rodee con su otra mano la muñeca, usando tanto el pulgar como los dedos índice y medio para afianzar la parte externa como interna de la muñeca. Presione este punto firmemente en cada brazo.

Beneficios: La presión firme en este punto también es útil para contracturas y dolor en los hombros. Como un tónico importante, este punto ha sido usado en forma tradicional para aumentar la resistencia del cuerpo a los

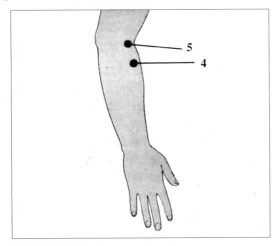

enfriamientos y a la gripe. La presión en este punto vitaliza todo el cuerpo, mejora especialmente la elasticidad de la piel y el tono muscular.

Punto #4

Localización: el punto #4 se localiza doblando el brazo de modo que forme un pliegue en la articulación del codo. Este punto se localiza en el músculo, a 3.5 cm de este pliegue en dirección hacia la mano.

Aplicación de los dedos: cuando doble su mano hacia atrás y adelante mientras con la otra localiza el punto, deberá sentir cómo salta el músculo si se encuentra en el lugar correcto. Aplique la presión gradualmente en el centro del músculo del antebrazo.

Beneficios: este punto antiinflamatorio especial de digitopuntura alivia la artritis en la parte superior del cuerpo, especialmente en las articulaciones de la mano, muñeca y codo. Cuando se sienta cansado o deprimido, presione este punto del antebrazo. El punto se encontrará sensible cuando se encuentre fatigado o cuando el colon se encuentre congestionado. Este punto del dolor deberá presionarse con el fin de desarrollar vitalidad en la porción superior del cuerpo, así como para aliviar el dolor de las articulaciones y músculos cansados. Intente presionar este punto en ambos brazos por espacio de un minuto cuando se levante en la mañana. Este punto se usa también cuando hay espasmos en el brazo y parte superior de la espalda, indigestión, rigidez o contractura en el cuello y mala circulación.

Punto #5

Localización: se localiza en el punto exterior del pliegue del codo, que se forma cuando lo dobla.

Aplicación de los dedos: con el brazo parcialmente flexionado, use su dedo gordo para presionar profundamente sobre el punto.

Beneficios: alivia la inflamación, principalmente del codo y el hombro. Ayuda también a prevenir la constipación, problemas de la piel, fiebre e hipertensión arterial, enfriamientos, gripe, depresión, así como dolores en general.

Punto #6

Localización: Ubique su hombro. Siga una línea recta por la espalda hacia el pliegue de la axila. El punto se localiza a la mitad de línea.

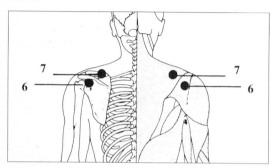

Aplicación de los dedos: Presione directamente sobre el músculo trapecio en la articulación del hombro, dirigiendo la presión hacia el corazón.

Beneficios: alivia la artritis, bursitis y reumatismo, asimismo alivia el dolor del hombro y la parte superior de la espalda. Este punto ha sido usado en forma tradicional para la hipertensión, dolores y molestias esporádicas, insomnio, ansiedad, nerviosismo, dolor en los brazos o entumecimiento y manos frías.

Punto #7

Localización: Se encuentra en el músculo trapecio. Localice el punto medio entre la base del cuello y el hombro. A dos centímetros y medio abajo de este sitio se localiza el punto #7. Estire su mano derecha sobre su hombro izquierdo, doblando los dedos para enganchar el músculo trapecio, en la parte superior del hombro.

Aplicación de los dedos: Presione firmemente en el músculo del hombro, arriba del centro de la paleta de cada hombro.

Beneficios: alivia la rigidez y el dolor del hombro y el cuello, incluyendo el reumatismo. Este punto incrementa la resistencia a los enfriamientos y la gripe.

Punto #8

Localización: se encuentra en la parte superior del cuello, a 2 centímetros al lado de la columna vertebral. Usualmente puede sentirse una protuberancia en este sitio.

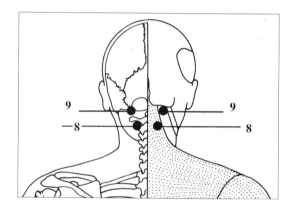

Aplicación de los dedos: agarre la parte posterior de un lado, y el pulgar del otro para poder apretar firmemente el músculo.

Beneficios: es un punto clave para liberar la rigidez, falta de elasticidad y el dolor artrítico en el cuello y la espalda. Beneficia al sistema nervioso y es especialmente útil en momentos de estrés y trauma.

Punto# 9

Localización: se localiza en el hueco que se encuentra debajo de la base del cráneo, en medio de dos músculos (trapecio y esternocleidomastoideo). Este punto se usa frecuentemente para aliviar el dolor y el trauma después de una lesión.

Aplicación de los dedos: presione firmemente debajo del hueco del cerebro con la cabeza inclinada hacia atrás. Presione ambos lados simultáneamente.

Beneficios: alivia dolores artríticos, de cabeza, hipertensión, insomnio, dolor de espalda, vista cansada, rigidez del cuello, irritabilidad, nerviosismo, tensión mental, memoria, problemas de coordinación neuromotora y mareos.

Punto #10

Localización: este punto se localiza en la región lumbar (entre la segunda y tercera vértebra), a unos centímetros de la espina a

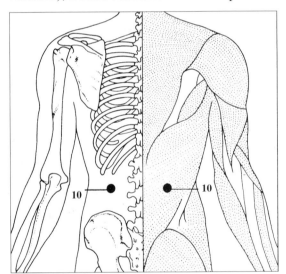

nivel de la cintura. Este importante punto puede hallarse presionando el borde externo de los músculos verticales que corren a cada lado de la columna, hacia el centro de la vértebra. (Los sentirá como un par de cordones fuertes).

Aplicación de los dedos: puede usar el dedo gordo o bien cualquier otro dedo para presionar los músculos que corren paralelos a la columna, puede presionarse cada lado

por separado, o bien simultáneamente. Otra forma de estimular este punto es empuñando la mano y friccionando rápidamente con los nudillos.

Beneficios: alivia los dolores de la parte baja de la columna, fatiga, problemas reproductivos, impotencia, inapetencia sexual, flujos vaginales así como problemas renales y urinarios.

Punto #11

Localización: mida cuatro centímetros abajo del borde externo de la rótula, y un dedo hacia afuera de la tibia. Podrá verificar que se encuentra en el lugar correcto flexionando su pie hacia arriba y hacia abajo. Notará que hacia el lado externo de la tibia saltará un músculo. Allí se encuentra el punto.

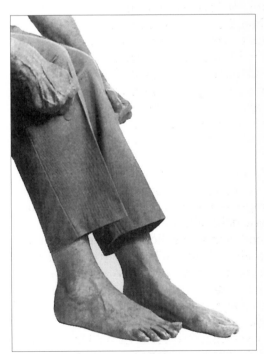

Punto 11 *(continúa)*

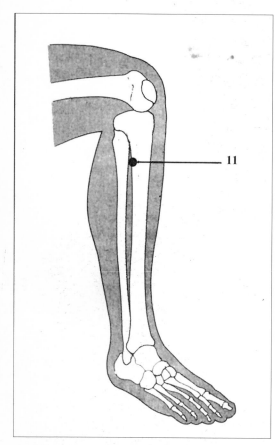

principales grupos musculares, habilitándolos para tener mayor resistencia. Es uno de los más famosos puntos de digitopuntura china y japonesa para aliviar el malestar, el dolor los músculos cansados y la fatiga general.

La presión en este punto vigoriza todo el cuerpo, tonifica los músculos y ayuda a la digestión. También alivia desórdenes estomacales y la fatiga.

Punto #12

Localización: se ubica entre el cuarto y el quinto hueso metatarsial en el empeine del pie.

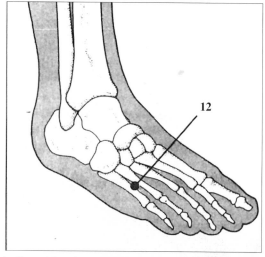

Aplicación de los dedos: uno de los métodos más efectivos para estimular usted mismo este punto, es la de friccionar rápidamente con su propio talón.

1. Ponga el talón derecho en el punto #11 de su pierna izquierda y rápidamente friccionelo por un minuto.
2. Repita la operación del otro lado.

Beneficios: ataca el dolor producido por la artritis en todas partes del cuerpo, especialmente el dolor de la rodilla. Una presión firme de este punto, fortifica y renueva la energía del cuerpo. Ayuda a incrementar el tono muscular de los

Aplicación de los dedos: coloque la punta de su dedo entre el cuarto y quinto metatarsial, deslizando su dedo hacia arriba y presionando justo abajo de la unión de ambos.

Beneficios: alivia la tensión de los hombros y la cadera, el dolor producido por torceduras, dolores de cabeza, sudoración, reumatismo, retención excesiva de agua y ciática.

INSTRUCCIONES DE AUTO AYUDA

Las siguientes instrucciones, dadas paso a paso, le dirán cómo estimular cada uno de los doce puntos que alivian la artritis. Practique esta rutina de auto masaje de digitopuntura diariamente.

1. Use los nudillos (ilustrado) de su puño izquierdo para aplicar presión gradualmente a los puntos 1-5 de su brazo derecho por espacio de un minuto cada uno.
2. Use los dedos encorvados de su mano izquierda, para presionar sobre los puntos 6 y 7 en los hombros.

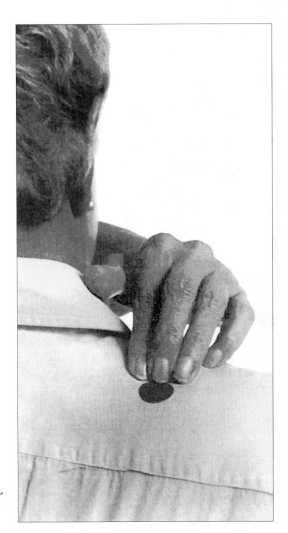

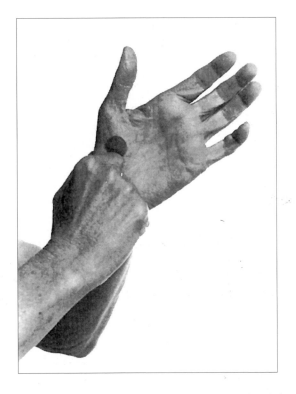

3. Repita los pasos 1 y 2 (arriba) en el otro brazo, estimulando los puntos 1-5 con los nudillos sobre la base de la palma de la mano, y luego los puntos 6 y 7 con la punta de los dedos encorvados sobre los hombros.

4. Apoye las puntas de sus dedos firmemente en el punto 8 a ambos lados del cuello por un minuto.

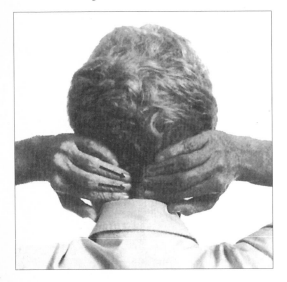

5. Luego use sus dedos gordos para presionar firmemente el punto 9, a ambos lado debajo de la base del cráneo por otro minuto.

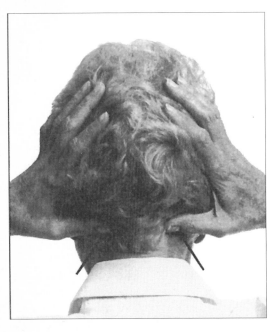

6. Coloque la parte posterior de sus puños sobre el punto 10 a ambos lados de la cintura. Rápidamente friccione hacia arriba (lo que alcance en forma confortable) y abajo hacia sus nalgas por un minuto, creando calor con la fricción.

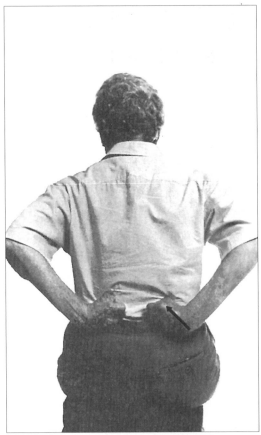

7. Luego, coloque sus puños en el punto 11, en la parte externa de la espinilla, abajo de las rodillas. Rápidamente friccione para estimular los puntos por un minuto. Trate de emplear un esfuerzo y tiempo extra para activar estos puntos vitales con el fin de incrementar los beneficios.

8. Con sus dedos presione firmemente el punto 12, a ambos lados, en el empeine del pie por un minuto.

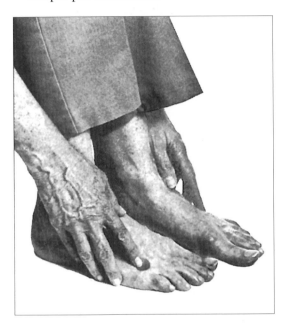

9. Felicidades, ha completado la rutina de masaje de digitopuntura que estimula los más importantes puntos antiinflamatorios que alivian la artritis.

CAPÍTULO V

RUTINAS DIARIAS

RUTINAS DIARIAS

DIGITOPUNTURA, ESTIRAMIENTO Y EJERCICIOS DE RESPIRACIÓN

Este capítulo le dará lineamentos generales diarios, seguido por instrucciones sencillas para practicar las rutinas en la mañana, tarde y noche. Estos sencillos ejercicios de auto ayuda, están diseñados para ayudarle a aliviar y manejar su artritis. Le recomiendo que regularmente practique los ejercicios de alivio del dolor en su vida diaria. Deberá practicar una de las rutinas diariamente junto con alguno de los ejercicios más específicos de auto ayuda ilustrados en el siguiente capítulo, titulado "Alivio del dolor en áreas específicas".

LINEAMENTOS GENERALES DE EJERCICIO

- **Práctica diaria regular,** es el camino para tener unas articulaciones saludables y flexibles. Empiece lentamente y disfrute los movimientos. Si tiene que interrumpir mientras practica no se preocupe. Sólo continúe donde dejó en el momento que le sea conveniente. Después de un mes de práctica regular diaria, estos ejercicios serán parte de su rutina cotidiana, algo que extraña si no lo hace. Los resultados que experimente lo motivarán a continuar.

- **Sea consistente** con la práctica de los ejercicios que disfruta. Realice aquellos que estén de acuerdo con su condición física y estilo. Si al realizar un ejercicio "siente mal" o incrementa su inflamación o el dolor suspenda la técnica. *Asegúrese de no excederse con ningún ejercicio en particular.* Comience con un nivel que le resulte confortable y aumente gradualmente la intensidad o el número de repeticiones, trabajando para desarrollar vigor.

- **Haga sus movimientos y estiramientos** lenta, rítmica y graciosamente. Las rutinas diarias descritas en éste libro, están holísticamente diseñadas para trabajar en todas las áreas del cuerpo, no sólo para las áreas dolorosas de la artritis. Cuando se practica lenta y cuidadosamente, los ejercicios para el alivio de la artritis tonificarán sus músculos, suavemente estirará los tendones y favorecerá la curación de las articulaciones inflamadas. Mantener un ritmo constante en los movimientos incrementa el poder y la efectividad de cada ejercicio.

- **Tenga cuidado con la postura de su cuerpo** mientras practica las rutinas. Una postura adecuada es vital para una correcta y profunda respiración y ayuda a que los movimientos sean benéficos a todo el cuerpo.

• **Respirar profundamente** es la clave a la salud, así como para un método de alivio del dolor libre de medicamentos. La práctica de la respiración profunda es particularmente importante para un paciente artrítico, pues incrementa la cantidad de células rojas oxigenadas y ayuda a fortificar su cuerpo con la energía vital necesaria para sanar las articulaciones inflamadas. La tensión en el pecho y en los músculos inferiores de la espalda, contrae las costillas impidiéndoles trabajar adecuadamente, haciéndole respirar superficialmente. Cuando se libera esta tensión muscular los pulmones pueden abrirse para permitir una profunda respiración.

Usted puede fortalecer sus pulmones y diafragma con la práctica de una lenta y profunda respiración; incrementar el volumen de aire que toma podrá ayudarle a promover la curación del dolor y las articulaciones inflamadas. Use los siguientes pasos como guía para su respiración profunda:

1. Respire tranquila y normalmente por un minuto, notando cómo respira y permitiéndose relajarse.

2. Al terminar la exhalación, fuerce suavemente la salida de aire de los pulmones empujando con su abdomen.

3. Ahora inhale profundamente. Su abdomen habiéndose contraído, se expandirá en forma natural mientras inhala. Visualice que la respiración está siendo concentrada suavemente en su abdomen.

4. Continúe. Exhale profundamente contrayendo el abdomen e inhale profundamente, permitiendo que su abdomen se expanda.

Mucha gente pasa una gran parte de su tiempo en lugares cerrados, tanto en el trabajo como en su casa, y por tanto realizan muy poco ejercicio y toman muy poco aire fresco. Aunque usted viva en un área contaminada, es mejor salir al menos un rato durante el día para estirarse, moverse y respirar profundamente.

• **Relajación profunda:** es muy importante darle tiempo a sus músculos de relajarse entre dos series de ejercicios. Inmediatamente después de terminar sus ejercicios relájese completamente para incrementar el alivio del dolor de la artritis y para permitir que el incremento de la circulación remueva los productos de desecho. Si hace los ejercicios por más de unos cuantos minutos, relájese completamente por unos cuantos minutos acostado sobre su espalda con los ojos cerrados. Esta combinación de ejercicio y relajación incrementará su goce y la efectividad del programa de alivio del dolor.

• **El calor puede ayudar a aliviar la rigidez muscular y de las articulaciones.** Probablemente desee calentar sus articulaciones antes de hacer los ejercicios, para aliviar el dolor y la rigidez de sus músculos. Tome un baño caliente, o apliquese calor con bolsa de agua caliente, compresas, o bien con un cojín eléctrico. Evite los enfriamientos, especialmente después de realizar sus ejercicios y la digitopuntura.

• **Precaución:** las articulaciones no deben ejercitarse cuando se encuentran inflamadas o "calientes" (hinchadas, rojas o sensibles al tacto). Sin embargo, aun esas articulaciones deben ejercitarse suave y lentamente con el fin de mantener su flexibilidad. No debe usarse calor ni masaje profundo a esas "articulaciones calientes",[22] en vez de eso oprima el área inflamada durante unos minutos, y aplíquese un emplasto.[23]

• **Si sufre una recaída o empeora, visite su médico o fisioterapeuta.** Tal vez su enfermedad ya esté demasiado avanzada para eliminar por completo todos los síntomas; sin embargo, puede evitar que su artritis empeore. La práctica diaria y regular de estos ejercicios y secciones de estiramiento, le darán mayor flexibilidad lo que lo hará sentirse mejor.

• **Permanezca tranquilo.** Procure eliminar de su mente problemas y responsabilidades pendientes mientras hace sus ejercicios. Los beneficios terapéuticos se incrementan cuando su mente y su cuerpo trabajan juntos.

ACTITUD MENTAL

La actitud que usted tenga sobre los ejercicios que alivian el dolor de la artritis, influye en forma importante en la manera como usted los practica. Una actitud crítica o negativa puede afectar su participación y por tanto sus resultados. Es más conveniente estar alerta de cuándo empieza a contaminar sus rutinas con prejuicios y autocríticas acerca de los ejercicios. Cuando aleja de su mente los prejuicios y pensamientos negativos podrá concentrarse claramente en lo que está haciendo y experimentar los beneficios más directamente. Concéntrese en respirar profundamente y en mantener su atención en el aquí y el ahora, con una actitud de apertura y positiva mientras hace los ejercicios.

Muchos sentimientos pueden surgir mientras practica usted las rutinas. Por ejemplo, podrá sentirse frustrado por su dolor y rigidez y desearía no continuar. Probablemente tenga retrocesos en el progreso obtenido, depresiones, recaídas, lo cual puede dificultar que continúe practicando estos ejercicios. Podrá sentir que tiene problemas para mantener su atención enfocada en los ejercicios o sentirá que le resulta difícil respirar profundamente. Al llegar a este punto, es importante que no sólo confíe en su disciplina, sino que visite un digitopunturista, masajista o fisioterapeuta para que ellos lo guíen.

Si tiene una recaída (que frecuentemente ocurren) y piensa que los ejercicios están agravando el dolor, tome uno o dos días de descanso y recupérese.

Espero, sin embargo, que tendrá una grata y positiva experiencia al encontrar que es divertido moverse y estirarse. Podrá usar esta actitud positiva para aumentar su progreso.

Su fuerza de voluntad es una herramienta importante para mejorar la calidad de su vida. Lo capacita para desarrollar su propio potencial y alcanzar lo que sabe que es adecuado. Estirar su mente y su cuerpo le

---

[22] Kate Loring and James F. Fries, *The Arthritis Helpbook,* Addison-Wesley, 1980.
[23] Ver en la sección sobre *Tratamiento externo* en la página 223 las instrucciones sobre cómo hacer un emplasto de Tofu.

permitirá vivir una vida más profunda y rica. Cultive este tipo de actitud mientras practica los ejercicios y siempre ponga el corazón en todo aquello que haga.

CONSIDERACIONES ACERCA DE SU PERSONALIDAD Y ESTILO DE VIDA

De acuerdo con su propia personalidad y estilo de vida, se preparará para incluir estas rutinas en su vida cotidiana; elegirá cuando y donde de acuerdo a sus circunstancias. Si es una persona que gusta de la disciplina, entonces prepare un calendario para practicar regularmente. De la misma manera que disfruta de hacer algunas cosas sin ningún esfuerzo, será capaz de encontrar tiempo y crear las oportunidades para la práctica de las rutinas.

Trate de concentrarse en los resultados que puede obtener. Después de un mes de práctica continua, notará una evidente mejoría. Después de un tiempo no necesitará de tanta disciplina para practicar las rutinas de alivio de la artritis, pues las hará con mayor gusto.

Es posible que incorpore las rutinas a su vida cotidiana. Por ejemplo, puede hacer sus ejercicios mientras ve la televisión o una película en el cine, mientras habla por teléfono, lee, o hasta cuando hace una fila puede rotar sus manos en la cintura, masajear sus hombros o trabajar en sus manos masajeando y estirando sus dedos. El simple hecho de estirarse para tomar una jarra de una repisa alta, es una buena oportunidad para estirarse, intentando alcanzarla también con el otro brazo, haciendo así un verdadero ejercicio de estiramiento.

Podrá darse cuenta que en la forma como mueve su cuerpo puede producir tensión. Podrá entonces usar la digitopuntura y el estiramiento para aliviar el dolor y la rigidez en sus articulaciones y podrá aprender nuevas formas de pararse y sentarse que no le causen tensión. Podrá mejorar su postura y practicar la respiración profunda mientras estimula los puntos, y suavemente estira los músculos cansados.

Integre estas rutinas a su vida diaria, verá que es divertido además que le brindará alivio de su dolor y rigidez.

FASES DE LOS EJERCICIOS

Es probable que después de una práctica regular por cierto tiempo atraviese por una secuencia de fases. Puede ser frustrante al principio, cuando aprende una nueva técnica de auto ayuda; en esta fase podrá ser difícil entender y recordar los aspectos mecánicos de los ejercicios.

En la segunda fase, los movimientos de los ejercicios son más refinados, suaves y graciosos. Quizás aún tenga que concentrarse en la rutina del ejercicio, pero una vez que practica lo suficiente, será más consciente de su cuerpo y de las dinámicas del movimiento.

La tercera fase se desarrolla cuando empieza a dominar los ejercicios. Llegado éste momento los ejercicios le serán tan familiares que no tendrá que concentrarse en lo que está haciendo. En esta última fase, usted sentirá su cuerpo fluir con el movimiento. La salud como cualquier otro ideal, debe ganarse con trabajo. La práctica constante, al menos dos veces al día es el camino del éxito para un alivio del dolor de la artritis.

EMPEZANDO BIEN EL DIA

Las siguientes rutinas son un buen método para despertar totalmente y le permite estar más flexible durante el día. Una buena parte de la rigidez matutina podrá aliviarse con sólo hacer estos sencillos estiramientos y con respirar profundamente.

Los primeros ejercicios están diseñados para realizarse cuando todavía está en la cama, antes de levantarse. Si siente un dolor agudo, deténgase de inmediato. Empiece respirando profundamente para favorecer la relajación, luego proceda lentamente y con cuidado.

Estiramiento de todo el cuerpo
(acostado de espaldas)

1. **Estire sus brazos** arriba y sobre su cabeza, mientras respira lenta y profundamente, un par de veces.

2. **Estire sus piernas** cada una por separado y luego ambas simultáneamente con los brazos.

3. **Apriete sus nalgas** unas cuantas veces mientras que, con los brazos hacia los lados aprieta los Puños. Después, simplemente relájese.

Buenos días rotaciones
(acostado de espaldas)

1. **Rote sus pies** varias veces alrededor de los tobillos mientras respira profundamente un par de veces.

2. **Rote sus manos** y muñecas varias veces.

3. **Gire su cabeza** suavemente de lado a lado varias veces. Le ayudará a relajar el cuello.

Masajee su cara hacia una sonrisa

1. **Ojos:** masajee suavemente alrededor de los ojos, cejas y luego arriba del puente de la nariz. Para estirar los músculos de sus ojos: ciérrelos, inhale profundamente por su nariz (si es posible), y mueva los ojos arriba y abajo. Respire profundo una vez más mientras gira sus ojos hacia arriba para estirarlos nuevamente.

2. **Sienes:** masajeelas suavemente con la punta de sus dedos en forma circular mientras permanece con los ojos cerrados y respira profunda y lentamente.

3. **Pómulos:** presione a lo largo y por debajo del hueso de los pómulos con la punta de sus dedos, a ambos lados de la cara.

4. **Mandíbulas:** masejee firmemente sus mandíbulas mientras respira profundamente. Luego muévalas de lado a lado y masajee nuevamente para eliminar cualquier tensión. Permanezca con la boca abierta para relajar los músculos de las mandíbulas.

5. **Oídos:** masajéelos hasta que los sienta calientes y vibrantes. Masajee concienzudamente todas las áreas de sus orejas, tanto internas como externas.

6. **La sonrisa:** respire profundamente y luego sonría. Estire sus brazos hacia arriba mientras respira nuevamente, y exagera su sonrisa aún más.

Asegúrese de tomar un baño caliente o ducha por la mañana para calentar sus articulaciones. Luego practique la siguiente rutina de estiramiento de digitopresión, una forma perfecta de empezar el día.

RUTINA DE ESTIRAMIENTO MATUTINA
Duración: 15 minutos.[24]

Puede iniciar la práctica de la rutina de estiramiento estando aún en la cama gradualmente incorporándose para sentarse, y, eventualmente ponerse de pie. Estas técnicas de auto-digitopuntura, están diseñadas para que inicie su día con más vigor y más energía de la que usualmente tiene. Los beneficios que se enlistan, son el resultado de varios meses de práctica diaria.

Al principio haga la rutina de estiramiento en el orden señalado y procure realizarlas en el tiempo que se indica. Una vez que se haya familiarizado con los movimientos básicos, siéntase libre para improvisar y modificarlas de acuerdo con sus necesidades. Por ejemplo, si usted en forma particular disfruta el masaje de las piernas, tómese más tiempo en ellas. Al contrario, si no disfruta o siente los beneficios de alguno de los ejercicios, no lo haga. No tiene que hacer todos los ejercicios que se describen. También puede modificar la manera como hace cada automasaje. Por ejemplo, si prefiere friccionar que presionar, siéntase libre para hacer sus propias modificaciones y ajustes a la técnica.

Cabeza y cara

Use sus dos manos para masajear simultáneamente ambos lados de la cara. Acuéstese en la cama. o siéntese cómodamente para iniciar la rutina de auto digitopuntura.

1. **Fricción de la cara y la cabeza**
   Friccione su cara concienzudamente desde la frente, pasando por los ojos, nariz, mejillas, mandíbula, labios, orejas, y la parte posterior del cuello. (30 segundos). Friccione o rasque la base del cráneo (10 segundos)
   Beneficios: mejora el cutis, el brillo de la piel y las arrugas.

2. **Alrededor de los ojos**
   Friccione suavemente alrededor de la órbita de los ojos. Empiece desde el vértice interno y trabaje hacia las sienes. (2 veces).

---

[24] *Nota:* Al principio, esta rutina tomará más tiempo (aproximadamente 30 minutos). A medida que conozca estos ejercicios y su secuencia, los llevará a cabo con tranquilidad y rapidez, ya que están entrelazados.

Beneficios: alivia la fatiga, dolor y mejora la vista cansada.

3. **Presión en las mejillas**

Presione con la punta de sus dedos debajo del hueso de las mejillas. Empiece cerca de la nariz, y desplácese en dirección de las orejas. (3 veces). Aumente le número de veces en aquellos sitios dolorosos y respire profundamente para aliviar la tensión y la congestión.
Beneficios: alivia la congestión de los senos paranasales, tensión facial, acné, dolor de oídos y encías sangrantes.

4. **Masaje en las orejas**

Tire de los lóbulos, de las orejas, al tiempo que las presiona, frota o gira (5 segundos). Dé masaje a todo el área de sus orejas, cubriendo tanto las áreas internas como las externas.
Beneficios: alivia la fatiga, depresión, tensión y dolor de oídos.

5. **Skull tap**

Golpee ligeramente con sus dedos sobre el cráneo. (10 segundos).
Beneficios: estimula el crecimiento del cabello, previene dolores de cabeza y mejora la claridad mental.

6. **Presión sobre la base del cráneo**

Presione con sus dedos gordos por debajo del cráneo y sobre la base del mismo con la cabeza ligeramente inclinada hacia atrás. Esta área podrá estar sensible, pero siga estimulándola. Respire profundamente. (10 segundos)
Beneficios: ayuda a los problemas de insomnio, hipertensión, dolores de cabeza (incluyendo migraña), mejora la memoria y el estado de alerta.

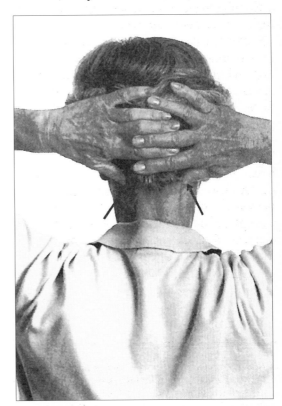

Cuello

Las siguientes fases de la rutina diaria de estiramiento pueden llevarse a cabo mientras esté sentado o de pie, según le resulte más confortable.

1. **Rotación del cuello**
   Gire el cuello con suavidad tres veces en cada dirección.
   Beneficios: alivia ansiedad, fatiga y tensión.

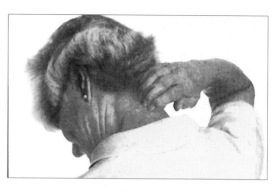

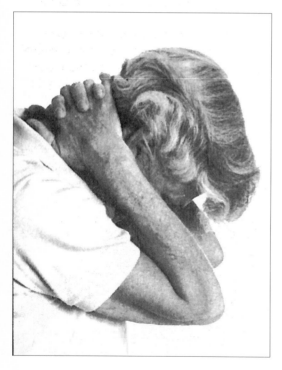

2. **Presión sobre el cuello**
   Entrelace los dedos sobre la nuca. Presione los músculos del cuello con la parte inferior de las palmas de las manos y junte los codos (3 veces)
   Beneficios: alivia la tensión en hombros y cuello, rigidez del cuello y tensión general.

3. **Golpeteo ligero en el cuello**
   Con los dedos de la mano derecha, golpetee con suavidad el lado izquierdo del cuello. Haga lo mismo a la inversa (5 veces).
   Beneficios: Alivia cansancio, letargo y la depresión.

4. **Golpeteo en el cóccix**
   Con la mano derecha dé golpecitos sobre el cóccix (última vértebra de la columna), mientras con la mano izquierda da golpecitos suaves sobre la base del cráneo (5 veces).
   Beneficios: alivia el sistema nervioso, en especial la espina.

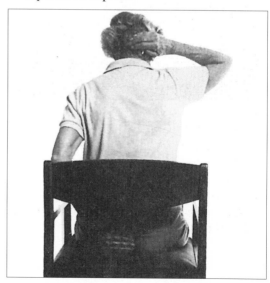

Brazos y hombros

1. Rotación de hombros

Gire sus hombros en forma circular (tres veces en cada dirección).

Beneficios: alivia la tensión del cuello y los hombros, personalidad tipo A (agresivo, obsesivo, compulsivo).

2. Fricción del hombro

Masajee, sobe o friccione su brazo concienzudamente, desde su hombro hasta las manos. (5 segundos en cada brazo).

Beneficios: alivia la mala circulación de los brazos y la fatiga.

3. Palmoteo del hombro y los brazos

Palmotee suavemente desde el hombro hasta la mano. (3 veces en cada lado).

Beneficios: mejora la circulación y la fatiga crónica.

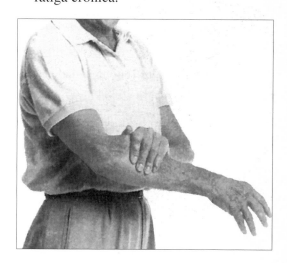

4. Apretón del antebrazo

Apriete los músculos externos del antebrazo. justo abajo del codo. (tres veces de cada lado).

Beneficios: tiene efecto sobre el torso, el sistema respiratorio; depresión y letargo.

5. **Masaje interno del codo**

Masajee en forma circular y con la punta de los dedos la parte interna del codo.
Beneficios: alivia el dolor de los codos, hipertensión e insomnio.

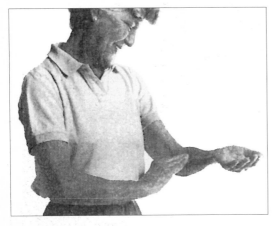

6. **Balanceo de los brazos**

Balancee sus brazos. (tres veces)
Beneficios: mejora su condición cardiovascular así como la circulación. Ayuda al manejo del insomnio.

7. **Estire los brazos**

Entrelace los dedos con las manos a la altura del pecho. Inhale y levante los brazos por arriba de su cabeza con las palmas de las manos hacia arriba. Respire profundamente. (tres veces)
Beneficios: tiene efectos sobre el sistema digestivo. Alivia la tensión de los hombros.

Manos y dedos
(para prevenir la artritis)

1. **Rotación de la muñeca**
   Gire las muñecas. (5 veces)
   Beneficios: alivia la tendonitis de las
   muñecas, artritis y las manos frías.

2. **Apriete los dedos**
   Con su mano izquierda apriete cada uno
   de los dedos de su mano derecha, desde
   la punta hasta su incersión en la mano.
   Cambie de mano. (2 veces en cada dedo)
   Beneficios: alivia el dolor, las manos
   frías y la hipertensión.

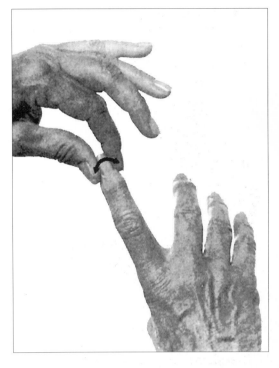

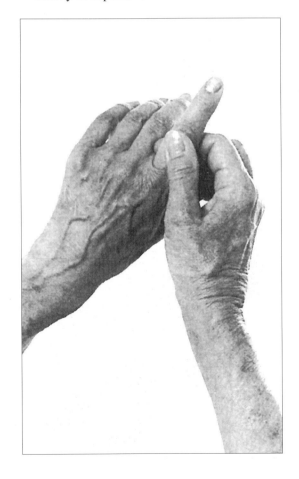

3. **Gire la punta de los dedos**
   Tome la punta de su dedo con el pulgar e
   índice de la otra mano, apriételo y gírelo
   suavemente de lado a lado. Hágalo en
   todos los dedos de ambas manos.
   Beneficios: alivia la rigidez de las
   articulaciones de las manos.

4. **Frote sus manos**
   Frote sus manos una contra la otra
   vigorosamente. (10 segundos). Frote el
   dorso de sus manos (5 segundos). Use un
   poco de aceite si la piel está seca.
   Beneficios: mejora la circulación y las
   manos frías.

5. **Sacuda sus manos**
   Sacuda sus manos vigorosamente. (5
   segundos)
   Beneficios: mejora la circulación en las
   manos.

6. Aplauda

Aplauda cinco veces.
Beneficios: tiene efectos sobre la
circulación y el sistema nervioso.

7. Doble sus dedos

Lentamente doble sus dedos hacia el
dorso de la mano. Hágalo en ambas
manos.
Beneficios: contribuye a mejorar la
circulación de las manos.

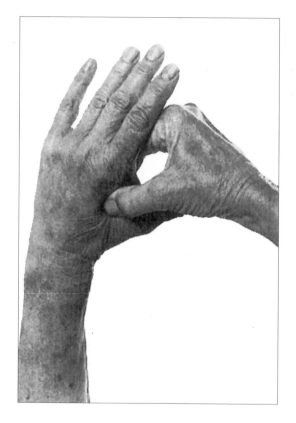

8. Masaje de las manos

Masajee con su dedo gordo la palma de
sus manos, incluyendo el espacio entre
los dedos. Hágalo concienzudamente.
Repítalo en ambas manos. (15 segundos
en cada mano)
Beneficios: actúa sobre los puntos de
reflexología que se localizan en la palma
de la mano correspondiente a todas las
partes del cuerpo. Observe el diagrama
de la página 75.

9. Presione el tejido entre los dedos gordo e índice

Presione firmemente el espacio entre los
dedos gordo e índice. (5 segundos en
cada lado)
Beneficios: alivia dolores de cabeza, de
muelas y artríticos, así como molestias
de los senos paranasales.

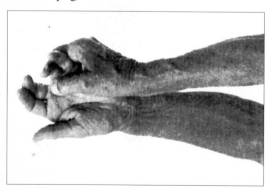

Columna y pelvis
(estando de pie)

1. Rotación de la pelvis

Gire su pelvis en ambas direcciones con las manos en la cadera. Hágalo lentamente si tiene problemas en la espalda. (3 veces)

Beneficios: alivia la frustración, ayuda a prevenir la ciática, mejora la línea de la cintura, aumenta la energía y la circulación de las piernas.

y arquee su espalda hacia atrás, usando sus manos como soporte en la parte baja de la espalda. (3 veces)

Beneficios: mejora problemas renales, de vías urinarias, así como el dolor de la cintura y cadera.

2. Dóblese hacia adelante con las rodillas estiradas

Dóblese hacia adelante con las rodillas estiradas. Hágalo en forma relajada y hasta donde alcance. Luego incorpórese

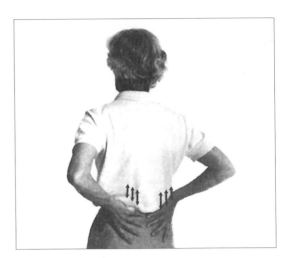

5. Frote el sacro
Friccione con el nudillo del dedo gordo hacia arriba y hacia abajo, a nivel de la cadera, a ambos lados de la columna. (10 segundos)

Beneficios: Eficaz sobre el sistema urinario. Alivia el dolor de espalda a ése nivel, así como las hemorroides y la ciática.

3. Bambú en el aire
Levante su brazo izquierdo e inclínese hacia el lado derecho manteniendo la espalda recta. Repítalo hacia ambos lados (4 veces).

Beneficios: mejora la postura y la flexibilidad de la columna.

4. Masaje en la cadera
Con la palma de las manos masajee la cadera. (10 segundos)
Presione con los puños de las manos la cadera, a dos o tres centímetros de la columna. (10 segundos)

Beneficios: actúa sobre los riñones, la energía vital; alivia el zumbido de oídos y los dolores de cadera.

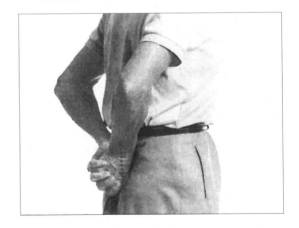

6. Golpee las nalgas
Haga un puño con ambas manos y golpee con él sus nalgas. (10 segundos)

Beneficios: alivia la tensión pélvica y la constipación.

Torso
(sentado en una silla de respaldo recto)

1. Golpee el pecho*
Con sus puños golpee la parte alta del pecho (abajo de las clavículas). (10 segundos)
Beneficios: mejora la congestión pulmonar, y en general problemas respiratorios. Actúa sobre la ansiedad.
Precaución: evite éste ejercicio si tiene problemas pulmonares y/o cardíacos.

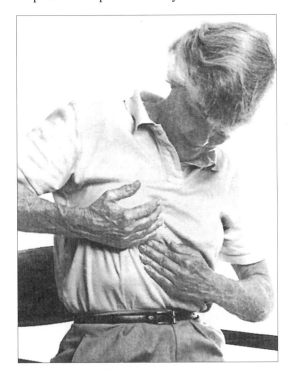

2. Masaje del pecho
Masajee el músculo que se encuentra en el pecho. Si es mujer, mueva el tejido mamario hacia un lado, y masajee el músculo que se encuentra debajo del mismo. (5 segundos en cada lado)
Beneficios: alivia las palpitaciones, dolor en el pecho.

3. Masaje de las costillas
Con su mano izquierda masajee los espacios entre las costillas del lado derecho. Empiece desde el esternón hacia afuera. Repítalo hacia ambos lados. (10 segundos)
Beneficios: incrementa la capacidad vital de los pulmones. Ayuda al sistema digestivo: permite la eliminación de gases y eructos.

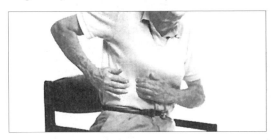

4. Golpee sobre su esternón*
Con la punta de sus dedos golpee sobre su esternón (3 veces)
Beneficios: alivia el sistema cardiovascular, la acidez, el nerviosismo, la dificultad para respirar, rigidez del pecho y la ansiedad.

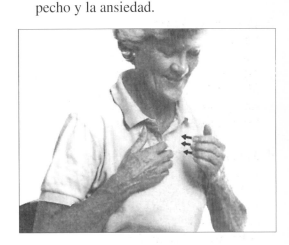

Precaución: aquellos que tengan marcapasos no deben hacer este ejercicio.

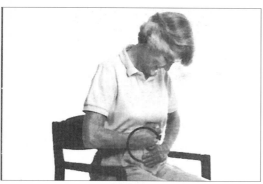

5. **Fricción del abdomen**
Friccione su abdomen en sentido de las manecillas del reloj (mientras observa su abdomen); use las dos manos. (10 segundos)
Beneficios: Actúa sobre órganos abdominales. Alivia la distensión abdominal y la constipación.

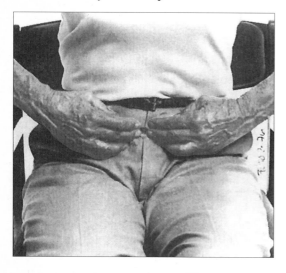

6. **Presione debajo del ombligo**
Presione a 5 cm por debajo del ombligo con los dedos de ambas manos. (5 segundos)
Beneficios: incrementa la vitalidad, favorece la eliminación y ayuda al sistema urinario.

Piernas
(sentado en una silla cómoda, con respaldo recto)

1. **Frote sus piernas**
Friccione sus piernas desde los muslos hasta los pies. Use ambas manos. (30 segundos)
Beneficios: alivia el dolor de las piernas, entumecimiento, rigidez y calambres.

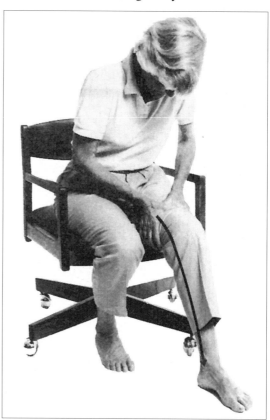

2. **Presione las pantorrillas**

Coloque ambos dedos gordos en el hueco
posterior de la rodilla. Presione
lentamente por tres segundos y libere.
Descienda luego por la pantorrilla hacia
el tobillo presionando cada punto
señalado en la foto (una vez de cada
lado).
Beneficios: alivia los espasmos en el
músculo gemelo, dolores en la cadera y
la rodilla.

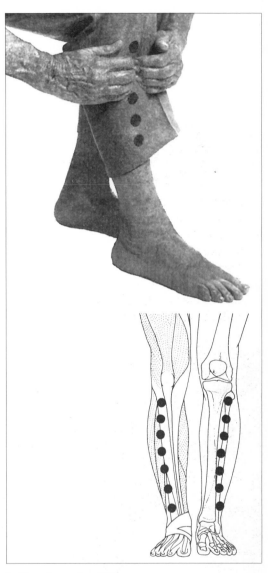

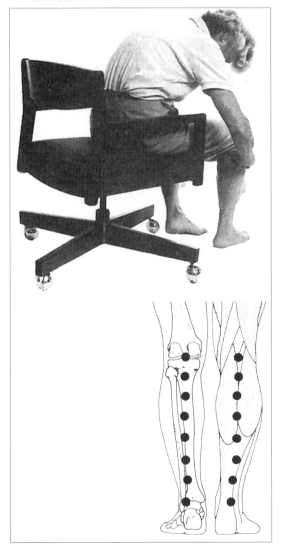

3. **Presione la tibia**

Usando la punta de los dedos de ambas
manos, presione a lo largo de la tibia,
sobre el borde externo del hueso; al
descender, presione los puntos señalados
en la foto. Descienda hasta el pie (una
vez de cada lado).
Beneficios: alivia la fatiga física y
trastornos digestivos.

Pies y tobillos
(Sentado, descalzo trabaje cada pie por separado)

1. **Masaje de los dedos**
   Enrolle cada dedo del pie con los dedos de su mano y hágalos girar de lado a lado. (2 segundos de cada dedo).
   Inclínelos hacia adelante y hacia atrás. (2 segundos en cada dedo)
   Beneficios: actúa sobre nariz, ojos, oídos y garganta. Mejora la circulación. Ayuda a los problemas de sinusitis.

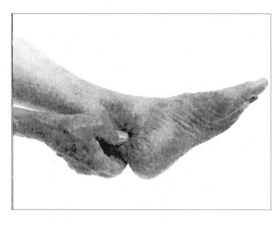

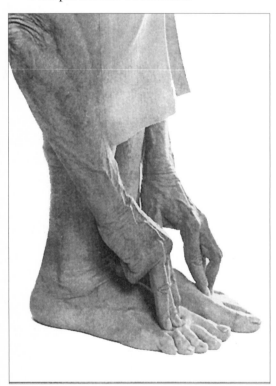

2. **Masaje del empeine**
   Con la punta de sus dedos, presione el tejido entre cada dedo y masajee después entre los huesos. (10 segundos)
   Beneficios: sistema digestivo. Alivia alergias y pies cansados y dolorosos.

3. **Presión de los tobillos**
   Tobillo interno: presiónelo con los dedos gordos, haciendo simultáneamente movimientos circulares. (10 segundos)
   Tobillo externo: dé masaje al tobillo externo con la punta de los dedos (5 segundos).
   Beneficios: alivia el dolor en los tobillos. Sistema urinario.

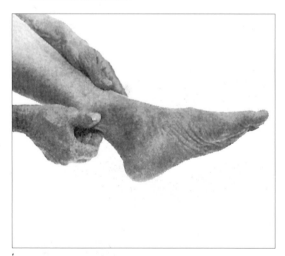

4. **Tendón de Aquiles**
   Apriételo y masajee el área del tendón.
   Beneficios: alivia el edema, reumatismo, dolor en los pies y la tumefacción de los tobillos.

5. **Masaje del arco**

Presione el arco del pie con los dedos gordos, empezando desde el talón en dirección al dedo gordo del pie. (2 veces)
Beneficios: sistema digestivo, hipoglicemia. Alivia también algunas molestias de la columna vertebral.

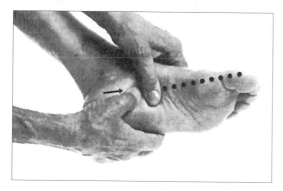

6. **Presión sobre la planta de los pies**

Con sus dedos gordos presione todas las áreas de la planta de los pies. Termine masajeando todo el pie. (30 segundos)
Beneficios: sobre todos los órganos internos.

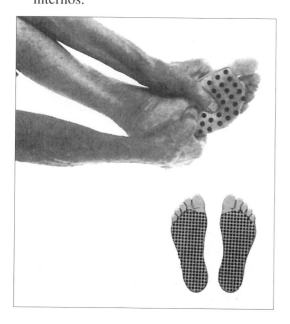

REFRÉSQUESE AL MEDIODÍA
Duración: 5 minutos

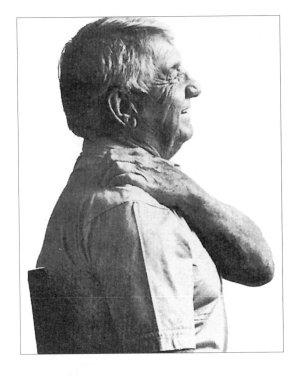

Esta serie de ejercicios de autodigitopuntura está diseñada para proporcionar relajación y revitalización al medio día. Mucha gente pasa largas horas sentada frente a escritorios o en carros, acumulando tensión; es por ello, que los músculos que no se ejercitan adecuadamente tienden a atrofiarse. En vez de permitir que se continúe acumulando tensión y de que se atrofien sus músculos, agravando su artritis, utilice 5 minutos de la hora de comer para romper con sus antiguos patrones. Puede hacer esta rutina en casa o en la oficina –mientras está sentado en una silla–. Puede también incorporar esta serie en un programa de ejercicios del mediodía, lo que incrementaría sus beneficios. Puede también hacer ésta rutina cada vez que desee sentirse mejor, menos tenso y más alerta.

Para la realización de los siguientes ejercicios, siéntese cómodamente en una silla.

1. **Apriete los músculos del hombro**
Utilice los dedos de su mano derecha para apretar los músculos del hombro izquierdo. Cambie de lado y apriete nuevamente. (15 segundos)
Beneficios: alivia la tensión y el dolor de los hombros, la impaciencia y la fatiga.

2. **Levante los hombros**
Coloque su mano derecha sobre el hombre derecho, y la izquierda sobre el izquierdo. Los codos hacia los lados. Inhale y levante los codos hacia arriba y hacia el frente. Exhale mientras se relaja. (3 veces)
Beneficios: alivia la depresión, el dolor de los hombros, rigidez en el cuello y estrés general.

3. **Presión del cuello**

Entrelace los dedos de sus manos detrás del cuello. Mueva sus hombros hacia el frente, como su intentara tocar uno con el otro. Inhale profundamente tres veces por la nariz mientras permanece en ésta posición.

Beneficios: alivia la rigidez del cuello, dolores de cabeza y la hipertensión.

4. **Rotación del cuello**

Mientras respira profundamente, gire lentamente su cabeza en dirección de las manecillas del reloj. Hágalo después en el sentido contrario. (2 ó 3 veces lentamente en cada dirección)

Beneficios: alivia el estrés, los nervios, la ansiedad y la hipertensión.

5. **Rotación de las articulaciones**

Gire simultáneamente las manos sobre las muñecas y los pies sobre los tobillos. (10 segundos)

Beneficios: alivia el dolor de las articulaciones y la rigidez.

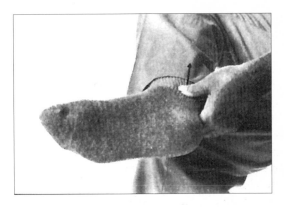

6. **Presión del tobillo**

Presione a lo largo del Tendón de Aquiles desde la base de la pantorrilla hasta el tobillo. (dos veces en cada lado)

Beneficios: alivia el zumbido de oídos, el dolor de la cadera y los tobillos.

7. **Presión de las piernas**

Cruce las piernas, y presione firmemente desde el hueco posterior de la rodilla hasta el tobillo. (tres veces en cada lado)

Beneficios: alivia los calambres de las piernas, rigidez, edema y las venas varicosas.

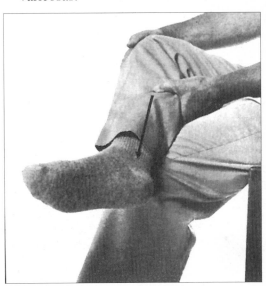

8. Presión de los oídos

Masajee y presione todas las áreas de las orejas, hágalo preferiblemente con los ojos cerrados. (30 segundos)
Beneficios: trae bienestar a todo el cuerpo.

9. Presión de la base del cráneo

Presione la base del cráneo con sus dedos gordos. Incline su cabeza hacia atrás y presione hacia arriba. Respire profundamente tres veces mientras presiona. (15 segundos)
Beneficios: alivia el insomnio, la hipertensión, dolores de cabeza (incluyendo la migraña). Mejora la memoria y el estado de alerta.

10. Sacuda los hombros y las manos

Sacuda los hombros (10 segundos). Sacuda vigorosamente las manos. (5 segundos)
Beneficios: mejora el sistema circulatorio y la tensión de los hombros.

11. Fricción de las manos

Friccione ambas manos hasta crear calor. (5 a 10 segundos)
Beneficios: alivia las manos frías.

12. Apriete las manos

Entrelace los dedos de las manos y apriete. (3 veces)
Beneficios: incrementa la circulación y el bienestar.

RELAJACIÓN NOCTURNA
Duración: 10 minutos

Después de un arduo día de actividades es común sentirse agotado y algunas veces irritable. Frecuentemente traemos a casa muchos de los problemas y presiones del día. La rutina de la noche está diseñada para hacerlo sentir más tranquilo. Esta rutina es en cierto modo diferente de las rutinas de la mañana y del medio día, pues incluye tocar, agarrar y presionar algunos puntos por periodos más largos de tiempo. Muchas personas experimentan una profunda relajación con sólo tocar los siguientes puntos por periodos largos.

Esta rutina puede hacerse antes de cenar, o bien una hora después, con el fin de permitir la digestión. Muchos prefieren hacer ésta rutina en la cama, justo antes de dormirse. La relajación que se obtiene, alivia las molestias de la artritis, ayuda a dormir más profundamente, así como a obtener un adecuado estado de alerta más pronto al despertarse.

Practique ésta rutina tal como está explicada aquí. Después de que se familiarice con ella, podrá adaptarla a sus propios gustos y estilo personal. Por ejemplo, mucha gente disfruta el Toque de la Cabeza y el Corazón (vea la página 64) en la cama por algunos minutos antes de dormirse. Un estado mental en calma ayuda a aliviar el dolor artrítico, y en general, cualquier tipo de dolor, y refuerza el optimismo en la vida. Haga la siguiente rutina estando acostado o sentado en una silla cómoda. Empiece con tres respiraciones lentas y profundas.

1. **Toque del hombro**
Suavemente apriete los hombros. (30 segundos)
Beneficios: alivia la tensión de los hombros, la rigidez de la parte alta del tronco y la irritabilidad.

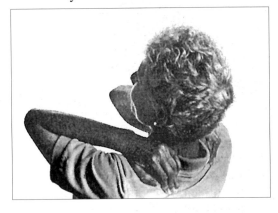

2. **Toque del cuello**
Entrelace los dedos de las manos detrás del cuello. Con la base de las manos presione los músculos del cuello, mientras intenta juntar los codos. (3 veces)
Beneficios: alivia la rigidez del cuello, dolores de cabeza y la hipertensión.

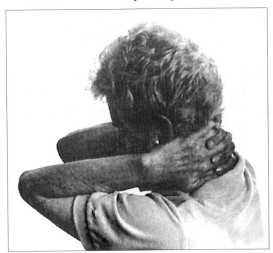

Coloque los dedos sobre las sienes y friccione lentamente en sentido circular. (15 segundos). Repítalo nuevamente otros 15 segundos.

Beneficios: alivia la vista cansada, dolores de cabeza, mejora la memoria y la concentración.

3. **Toque de la base del cráneo**

Presione con sus dedos gordos debajo de la base del cráneo, Incline la cabeza hacia atrás y presione hacia arriba. Si la presión resultara dolorosa o molesta, hágalo suavemente. (30 segundos)

Beneficios: alivia el insomnio, hipertensión, dolores de cabeza (incluyendo la migraña). Mejora la memoria y el estado de alerta.

4. **Toque de los ojos**

Cierre los ojos. Tápelos con las palmas de sus manos, tocando con la punta de los dedos suavemente la frente. Permita qe se relajen sus ojos. (1 minuto) Si sus ojos están cansados o molestan, extiéndase de 3 a 5 minutos.

5. **Toque del pecho**

Cruce los brazos. Coloque la punta de los dedos debajo de la clavícula y presione. Cierre los ojos y sienta cómo respira. (1 minuto)

Beneficios: mejora la hipertensión, alivia la ansiedad, congestión del pecho y el asma.

6. Toque del plexo solar

Entrelace los dedos como se observa en la foto y colóquelos sobre el plexo solar. (1 minuto)

Beneficios: alivia la indigestión, agruras y úlceras.

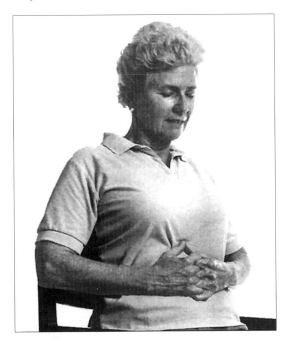

7. Toque de la columna

Coloque la mano derecha en la base de la columna vertebral, y la izquierda en el lugar donde el cuello se une con los hombros. (30 segundos). Mantenga la mano derecha en la base de la columna mientras mueve la izquierda hacia la base del cráneo. (permanezca así 30 segundos)

Beneficios: sistema nervioso central, columna vertebral. Brinda vitalidad.

8. **Toque de la cabeza y el corazón**
   Coloque su mano derecha en la parte superior del cráneo y la mano izquierda sobre el centro del pecho. (1 minuto)
   Beneficios: alivia el nerviosismo, la ansiedad y la impaciencia.

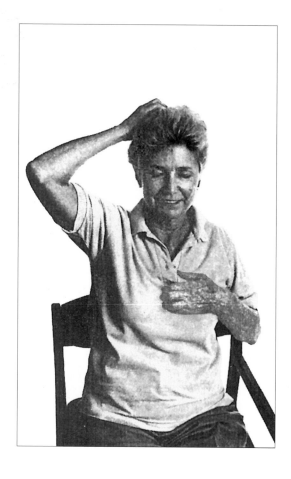

CAPÍTULO VI

ALIVIO
DEL DOLOR
EN ÁREAS
ESPECÍFICAS

ALIVIO DEL DOLOR EN ÁREAS ESPECÍFICAS

DOLOR
DE
MANOS

El área más común donde se padece la artritis es en las manos. Pocas son las articulaciones del cuerpo tan necesarias para nuestras actividades cotidianas como las articulaciones de la mano, y cuando los dedos se encuentran incapacitados, estamos profunda y adversamente afectados. En la artritis reumatoide los nudillos generalmente se deterioran y se acompaña de un desgaste muscular que resulta en la deformación de las articulaciones. Sin embargo, después de muchos meses de practicar regularmente las rutinas y los ejercicios de automasaje que a continuación se describen, podrá mejorar la condición de sus articulaciones.

La digitopresión junto con ejercicios de las manos y descanso, puede ayudar a prevenir la destrucción de los nudillos que produce la artritis, estabiliza las articulaciones y minimiza la presión que se ejerce sobre las articulaciones. Estos ejercicios para las manos también ayudan a fortalecer los tendones y los músculos, permitiendo un mayor uso de los dedos, con menos molestias y dolor. Combinando determinados movimientos de las manos tales como flexiones y rotaciones, con la estimulación de los puntos de digitopuntura se incrementa la efectividad.

Una de mis clientes, con antecedentes de artritis, se lastimó la muñeca mientras intentaba abrir un frasco de pepinos. Tuvo tal inflamación y dolor en la muñeca, que inhibió el uso de toda la mano. El dolor se irradiaba hacia los dedos, el antebrazo, y hacia el codo.

Cuando examiné su brazo en nuestra primera sesión, sus articulaciones estaban tan inflamadas y tumefactas que dudé de que la digitopresión pudiera resultarle efectiva. Cuando inicié la presión de sus puntos y lentamente ejercite su mano y sus dedos, la rigidez inicial empezó a ceder. Sin embargo, al principio,la flexibilidad que se lograba durante los ejercicios no era duradera; tardó seis sesiones para que conservara los efectos obtenidos. Le atribuyo un gran valor al éxito de la digitopuntura a los esfuerzos realizados por ella con la práctica regular de los ejercicios y técnicas que se describen en este capítulo.

Otra de mis clientes vino a verme después de haber terminado de barnizar una mesa una mañana fría y lluviosa. La aplicación del barniz fue con spray. A raíz de esto presentó una dolorosa inflamación en su dedo índice. La encontré varios meses después, y pude constatar que su mano se encontraba pálida, los dedos tumefactos, rígidos y doblados y las articulaciones deformadas e inflamadas.

A la semana siguiente se quejaba de que los ejercicios parecían agravar el dolor. Le expliqué entonces que esta situación, aunque desalentadora, suele ser común, y frecuentemente es parte importante del trabajo con la rigidez y tumefacción que son el origen de la inflamación y la deformación ulteriores. La alenté para que presionara los puntos directamente sobre las áreas dolorosas por varios minutos, particularmente el punto #1, en el tejido que se localiza entre el dedo gordo e índice. Esto después de calentar su mano en agua caliente algunos minutos.

Semanas después regresó entusiasta, pues el 90% del dolor había ya desaparecido. Se encontraba ahora preparada para poder manejar cualquier otro imprevisto como éste.

Con la práctica constante de estas técnicas podrá aliviar el dolor producido por la artritis, incrementar la circulación y prevenir la afección de otras articulaciones. Con el fin de proteger las vulnerables articulaciones de la mano, aprenderá cómo usar su mano en diferentes posiciones que disminuyen la tensión sobre las articulaciones. Si desea conservar sus dedos flexibles y fuertes, y además aliviar el dolor, deberá practicar los puntos, y una serie de ejercicios para la mano o automasaje, al menos una o dos veces al día.

Cada uno de los siguientes puntos deberá presionarse por espacio de un minuto, con una presión constante y firme. Para ello, use el dedo o nudillo que le resulte más adecuado. Presione los puntos que se encuentran directamente relacionados con las articulaciones dolorosas por dos o tres minutos más para ayudar a aliviar el dolor.

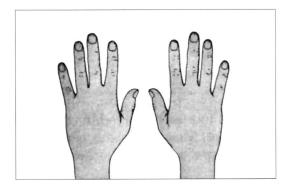

PUNTOS QUE ALIVIAN EL DOLOR DE LA MANO[25]

TW 4 se localiza en la muesca al centro exterior de la muñeca.
Beneficios: alivia el dolor de la muñeca, el síndrome del túnel del carpo, dificultad para asir objetos, debilidad de la muñeca, dolor en

el codo y antebrazo, muñecas tumefactas con dificultad para la flexión y la extensión.

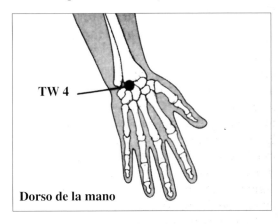

Dorso de la mano

LI 5 se encuentra en el hueco de la muñeca, en el espacio entre los dedos índice y pulgar.
Beneficios: alivia los dolores artríticos de los huesos y articulaciones relacionados con el dedo pulgar, índice y la muñeca.

H 7 se localiza en la parte interna de la muñeca, en el espacio que se forma entre el hueso del dedo meñique y la apófisis estiloide.
Beneficios: alivia el dolor de la muñeca y el insomnio. Se usa también para problemas cardíacos.

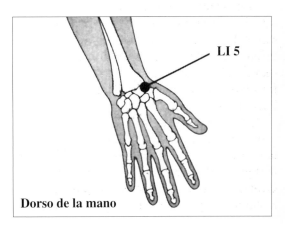

Dorso de la mano

---

[25] Estos números se refieren al sistema de puntos de acupuntura/acupresión del cuerpo. No necesita conocer ninguno de estos números de referencia para practicar el *Alivio de la artritis con digitopuntura.*

P 7 Se localiza en la mitad interna de la muñeca.
Beneficios: alivia la artritis de la palma de la mano, del dedo medio, alteraciones del apetito, alteraciones emocionales, trauma e insomnio.

L 9 se encuentra en el hueco que se forma en la parte interna de la muñeca directamente abajo de la base del pulgar (también conocido
como tabaquera anatómica).
Beneficios: alivia el dolor de la muñeca y el brazo, la ansiedad y el insomnio.

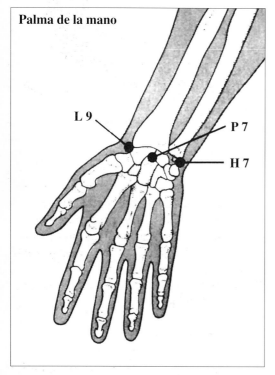

Palma de la mano

L 9

P 7

H 7

Punto #1
Se localiza en el espacio comprendido entre el dedo gordo y el dedo índice, sobre el dorso de la mano. Se encuentra cercano al hueso metacarpiano del dedo índice.

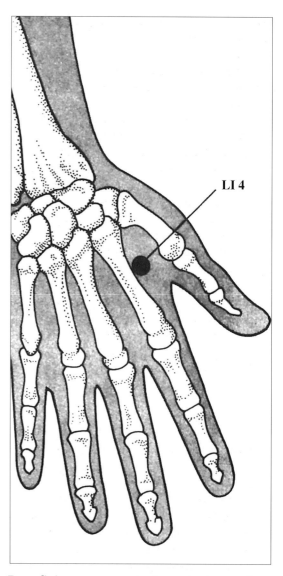

LI 4

Beneficios: es un punto importante para las manos, brazos y la cabeza. Es también un punto antiinflamatorio que ayuda a controlar el dolor de cabeza.

ALCANCE DE LOS EJERCICIOS CON MOVIMIENTO

Los ejercicios de estiramiento que se encuentran en esta sección son útiles para mantener la flexibilidad de los dedos, la mano y la muñeca; son también métodos adecuados para incrementar el movimiento de las articulaciones. Si encuentra que el movimiento de las manos es especialmente doloroso o difícil, entonces es necesario trabajar para aumentar la flexibilidad de la articulación mediante la digitopuntura y los ejercicios de estiramiento.

Cuando practique los siguientes ejercicios, anote sus observaciones en su diario de la artritis (páginas 205-216), si siente dolor, qué tipo de dolor es, y cuál es el sitio exacto donde ocurre. Use cualquiera de las sugerencias que le proporcionamos aquí cuando sienta dolor al realizar los ejercicios.

Sugerencias

1. Deténgase antes de llegar al punto doloroso.
2. Localice el sitio doloroso presionando con los dedos de la otra mano el área afectada.
3. Contraiga por unos segundos los músculos de su mano y muñeca mientras presiona el punto doloroso. Relájese y repita la contracción varias veces.
4. Mueva lentamente su mano con el fin de relajarla, mientras que en forma simultánea respira profundamente por unos minutos.
5. Intente nuevamente los ejercicios de motilidad, pero muy lentamente. Si siente algo de alivio, pero el dolor aún está presente, repita el procedimiento. Si por el contrario el movimiento aumenta el dolor, entonces suspenda el ejercicio,

descanse la articulación y consulte a su médico.

EJERCICIOS FÁCILES DE LA MANO

Flexiones de la muñeca

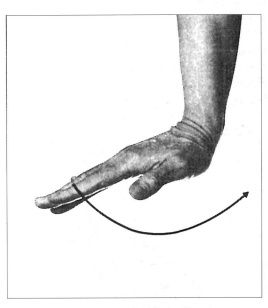

1. Extienda su mano hacia arriba para estirar la muñeca y los dedos.
2. Doble la mano hacia abajo, intentando tocar con los dedos la parte interna de la muñeca.
3. Repita los pasos 1 y 2 para incrementar la flexibilidad.

Giro de manos

1. Coloque la palma de ambas manos sobre una superficie plana.
2. Gire las manos de modo que el dorso quede apoyado y las palmas hacia arriba.
3. Respire lenta y profundamente mientras continúa girando las manos varias veces.

Incline las manos

1. Lleve el dedo pulgar hacia la palma de la mano y cúbralo con los otros dedos cerrando el puño.
2. Coloque el puño con la base del nudillo del dedo pulgar hacia arriba.
3. Extienda el brazo hacia el frente sin doblar el codo.

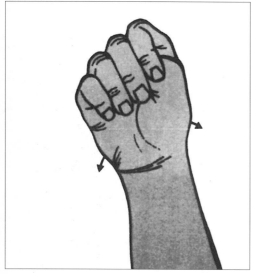

4. Mueva lentamente la mano hacia arriba y hacia abajo manteniendo el brazo Fijo. Cuando flexiona el puño hacia abajo, deberá sentir tensión en la base del dedo gordo.
5. Repita las inclinaciones de mano varias veces. Incremente gradualmente el número de repeticiones.

Nota: si siente dolor al mover la mano hacia abajo, significa que lo está haciendo muy rápido. Repítalo más lentamente y permanezca con la mano hacia abajo unos cuantos minutos. Este estiramiento puede ser muy útil para aliviar el dolor que produce la artritis en la mano.

Movimientos de limpiaparabrisas con las manos

1. Coloque las manos sobre una superficie plana con las palmas hacia abajo.

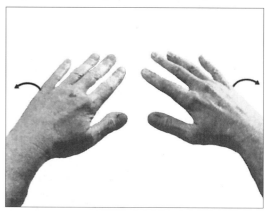

2. Mueva las manos hacia adentro, como si intentara tocarse los dedos.
3. Mueva las manos hacia afuera.
4. Repítalo nuevamente hacia adentro y hacia afuera.

Extienda la mano

1. Extienda las manos y los dedos.
2. Separe los dedos por algunos segundos. Sienta cómo se estira la mano.
3. Relaje la mano y respire profundamente.

Rotación de las manos

1. Sacuda suavemente las manos para promover la circulación y para relajarlas.
2. Lentamente rote las manos sobre las muñecas cinco veces.
3. Repítalo nuevamente en sentido contrario por cuatro o cinco veces mientras respira lenta y profundamente.

DIAGRAMA DE REFLEXOLOGÍA EN LA MANO

La artritis y otras enfermedades del organismo que se localizan en áreas específicas, se registran en forma correspondiente, en determinados lugares de la mano. Esta carta ilustra estas áreas. Presionar estos puntos o zonas de reflexología puede cumplir con dos objetivos: aliviar el dolor local y estimular los nervios asociados con esa área para ayudar a aliviar el dolor y la inflamación que produce la artritis en las áreas del cuerpo relacionadas con ese punto.

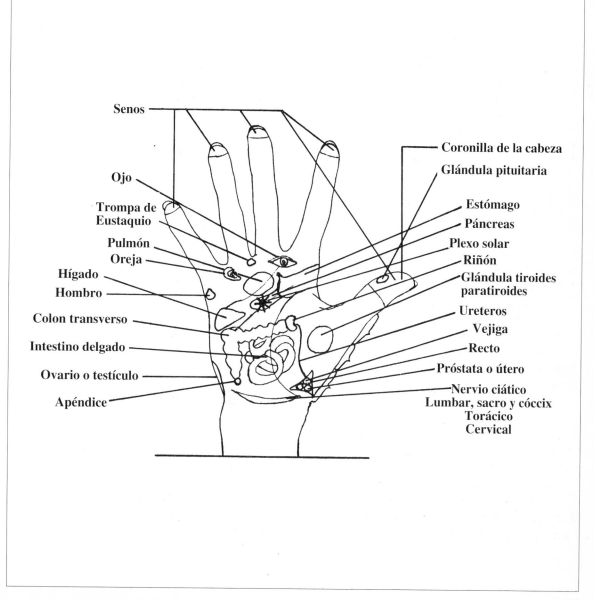

Senos

Ojo

Trompa de Eustaquio

Pulmón

Oreja

Hígado

Hombro

Colon transverso

Intestino delgado

Ovario o testículo

Apéndice

Coronilla de la cabeza

Glándula pituitaria

Estómago

Páncreas

Plexo solar

Riñón

Glándula tiroides paratiroides

Ureteros

Vejiga

Recto

Próstata o útero

Nervio ciático
Lumbar, sacro y cóccix
Torácico
Cervical

DIAGRAMA DE LOS PUNTOS DE DIGITOPUNTURA

El siguiente diagrama ilustra todos los puntos de digitopresión en la mano. Utilícelo para encontrar los puntos que se relacionan o se encuentran cercanos al área donde se localiza su dolor, así como otros puntos correspondientes cercanos a ese sitio. Explórelos mientras practica el masaje de manos. Este diagrama le ayudará a encontrar los puntos claves que alivian el dolor de su artritis.

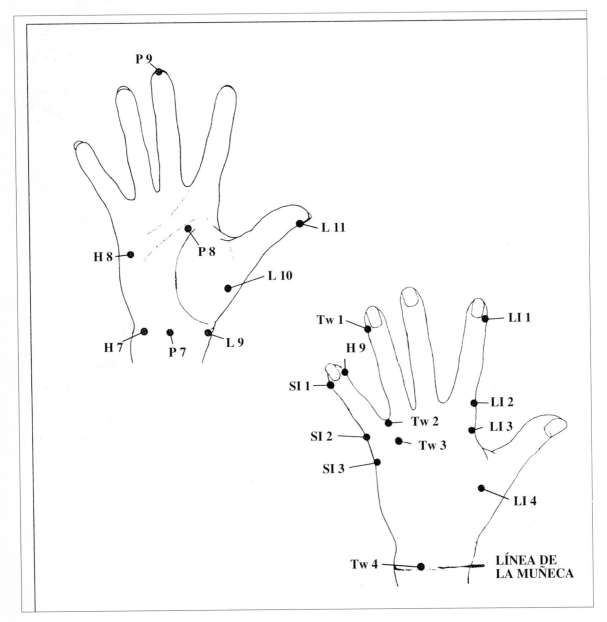

OCHO EJERCICIOS DIARIOS DE AUTOMASAJE

1. **Rotación de la muñeca**
   Rote lentamente sus manos alrededor de las muñecas. Hágalo cinco veces en ambas direcciones.
   Sugerencia: respire profundamente mientras hace el ejercicio.
   Variante: aumente la velocidad de las rotaciones para incrementar la circulación.

2. **Apriete los dedos**
   Con su mano izquierda apriete los dedos de su mano derecha tres veces.

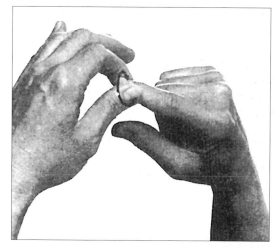

3. **Gire la punta de los dedos**
   Con la punta de los dedos de la mano derecha, apriete y mueva lentamente cada dedo de su mano izquierda de un lado hacia el otro. Apriete los puntos que se ilustran en la base de las uñas usando

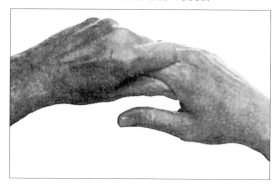

Haciéndolo desde la base de los dedos hacia la punta. Repítalo inmediatamente. Cambie de mano y repita el mismo procedimiento.
Sugerencia: estire cada dedo jalándolo suavemente.
Variante: produzca vibración en los dedos tomándolos de la articulación y girándolos rápidamente. (El siguiente capítulo de automasaje describe más ampliamente esta técnica).

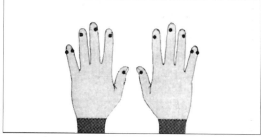

los dedos gordos e índice de su mano de trabajo. Gire luego los dedos rápidamente creando un efecto de vibración que estimulará la circulación. Repítalo en la otra mano.

4. Fricción de las manos

Friccione por diez segundos vigorosamente las palmas de sus manos o hasta crear calor. Friccione el dorso de una mano con la palma de la otra, luego cambie de mano.

Sugerencia: ejerza presión en sus manos para crear fricción mientras las frota.

Variante: frote las manos una contra la otra como si se las lavara con jabón, de 10 a 20 segundos.

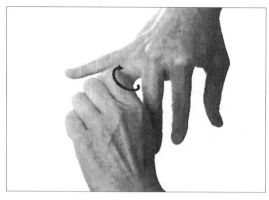

5. Sacuda los hombros y las manos

(10 a 30 segundos)

Sacuda ambas manos permitiendo que se muevan libremente sobre la muñeca. Lentamente exagere las sacudidas de las manos mientras permite que se sacudan también los brazos y los hombros para favorecer la circulación.

Sugerencia: cuando haga el ejercicio mantenga los brazos hacia los lados y los hombros relajados.

Variante: después de sacudir sus manos aplauda varias veces.

6. Rotación de los dedos

Con movimientos circulares estire los dedos lentamente, usando la mano opuesta. Enfatice la rotación de los dedos gordos, junto con respiraciones profundas por la nariz, para vencer la torpeza, la depresión y la fatiga.

Sugerencias: para incrementar la flexibilidad de sus dedos repita las rotaciones al menos dos o tres veces al día.

Variante: masajee primero la base del dedo y luego rótelo para incrementar su motilidad.

7. Tracción de los dedos

(5 segundos por dedo).

Jale cada dedo hacia afuera tirando lentamente. Tire los dedos gordos hacia usted para que jale en armonía con la estructura de la mano.

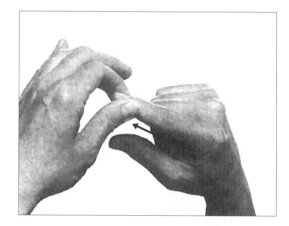

Sugerencia: sostenga la tracción por cinco o diez segundos.

Variante: apriete cada articulación del dedo empezando con la base y deslizándose hacia la punta del dedo.

8. Doble los dedos

(10 segundos por cada dedo)
Doble lentamente cada dedo hacia atrás,
cada uno por separado. Luego, estire

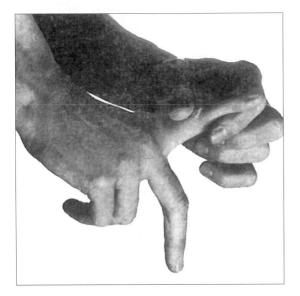

cada dedo hacia abajo, hacia la palma de
la mano. Presione hacia abajo los huesos
de cada dedo, estirando cada
articulación. Repita el mismo ejercicio
con los dedos de la otra mano.

Sugerencia: aplique presión en forma
gradual para estirar los dedos hacia atrás.
Lentamente incremente el tiempo durante
el cual sostiene el estiramiento.
Variante: entrelace los dedos con las
palmas juntas. Gire las palmas hacia
afuera y estire los dedos. Mantenga los
brazos extendidos hacia el frente. Libere
el estiramiento y sacuda lentamente las
manos. Repita varias veces.

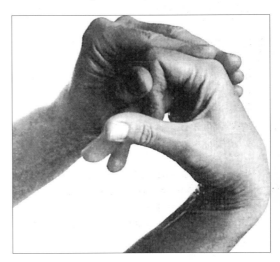

RUTINA COMPLETA DE AUTOMASAJE PARA LA MANO

Calentando las manos

Posición: coloque las palmas de las manos juntas.

Instrucciones:

1. Presione moderadamente entre ambas manos.
2. Frote sus manos rápidamente por un minuto para crear calor.
3. Entrelace los dedos con las palmas juntas. Ejerza presión con cada dedo sobre el dorso de la mano contraria. Mantenga la posición por cinco segundos. Relaje las manos mientras respira profundamente, apriete rítmicamente por un minuto.

Sugerencias: aplique una pequeña cantidad de aceite vegetal (almendras o coco) a sus manos antes de frotar. Esto ayudará a incrementar el calor que se genera con la fricción. Inmediatamente después de haber terminado de frotarse las manos, coloque la palma de las manos sobre los párpados cerrados. Sientas cómo se absorbe la energía. Permanezca así por un minuto. Masajee entonces muy lentamente la cara, cubriendo las sienes, puente de la nariz y la base del cráneo. Finalmente masajee las orejas con los ojos cerrados.

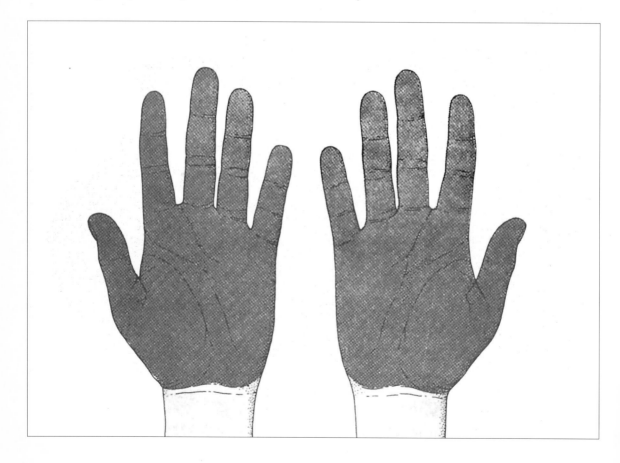

Presión de los dedos I

Posición: abra la mano y separe los dedos.

Coloque una mano sobre la otra: palma sobre dorso. Masajee con el dedo gordo.

Instrucciones:
1. Presione los puntos que se ilustran.
2. Avance por hileras, empezando en la punta de los dedos.
3. Agarre cada punto alrededor de cinco segundos. Libere y deslice su dedo al siguiente punto.

Sugerencias: aumente un poco el tiempo cuando trabaje sobre áreas dolorosas. Puede repetir el ejercicio tres o cuatro veces al día.

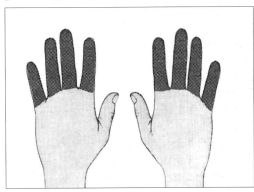

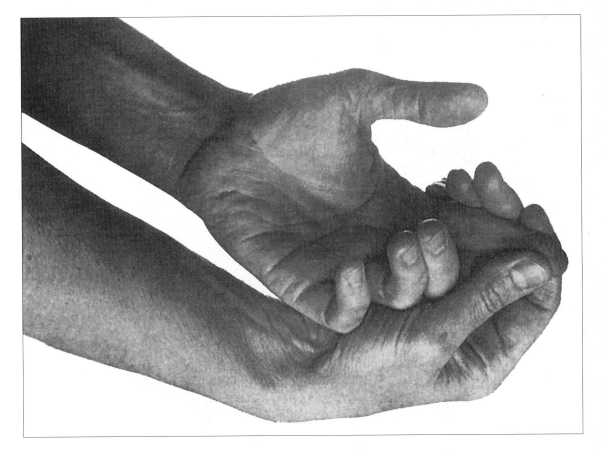

Presión de los dedos II

Posición: coloque las palmas de las manos sobre una superficie. Agarre los dedos de una de sus manos por las caras laterales.

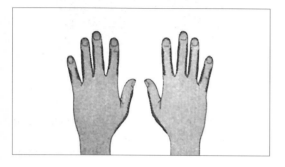

Instrucciones:

1. Presione concienzudamente los lados de cada dedo, manteniendo esta posición por cinco segundos.
2. Empiece en la base del dedo y muévase lentamente hacia la uña.
3. Enfoque el trabajo principalmente sobre las articulaciones y en presionar la base de las uñas.

Sugerencias: intente jalar cada dedo mientras lo recorre desde la base hasta la punta. Gire cada dedo mientras presiona para incrementar la circulación.

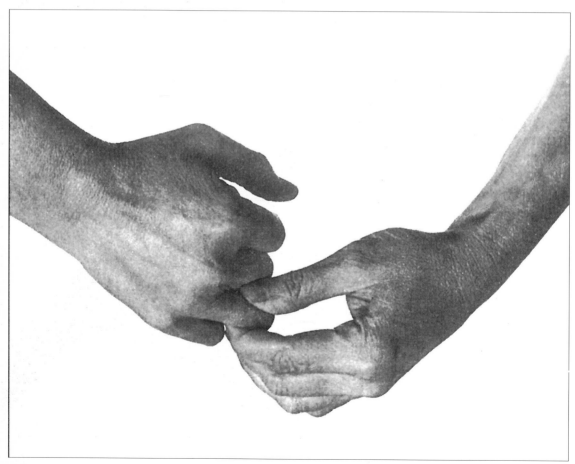

Presión de las articulaciones de los dedos

Posición: coloque su dedo gordo a un lado de cualquier dedo que elija, y los dedos al otro lado.

Instrucciones:

1. Firme, pero cuidadosamente, presione las articulaciones de cada dedo.
2. Presione alrededor de la base de cada uña.
3. Regrese al punto más afectado. Presione directamente sobre él pero con menor presión pero sin soltar, hasta que sienta que desaparece el dolor.
4. Gradualmente libere la presión y continúe con otra articulación dolorosa.

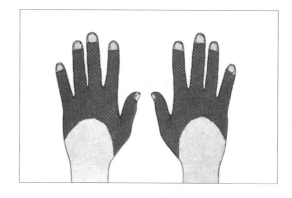

Sugerencias: gire cada dedo (por separado) hacia adentro y hacia afuera para incrementar la circulación. Alterne el trabajo entre ambas manos para que resulte menos cansado.

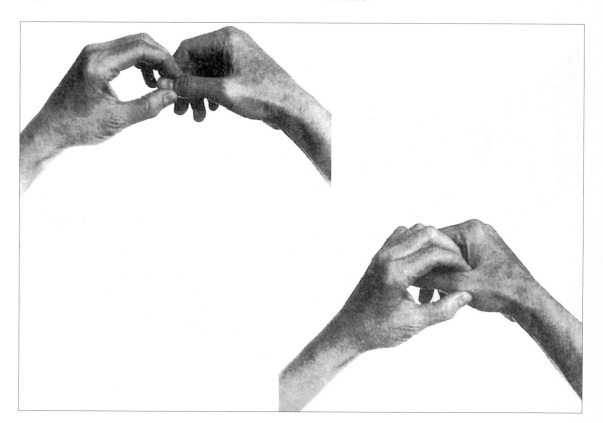

Presione el tejido entre los dedos

Posición: coloque el pulgar sobre la palma de su otra mano, en el espacio entre los dedos, y los dedos envolviendo el dorso de la mano.

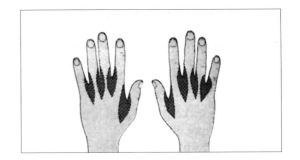

Instrucciones:
1. Abrace el tejido entre los dedos por 30 a 60 segundos en cada dedo.
2. Frote con una presión firme entre los huesos.
3. Repítalo nuevamente; sin embargo, friccione más lentamente y presione menos profundo que en la primera serie.

Sugerencias: si encuentra algún punto especialmente sensible, presiónelo directamente hasta que disminuya el dolor. Aunque puede sentir dolor al masajear entre los dedos, esta estimulación brinda mucho alivio al dolor y rigidez producidos por la artritis.

Masaje del dorso de la mano

Posición: abrace su mano colocando el pulgar sobre la palma y los dedos sobre el dorso. Coloque los dedos entre los huesos.

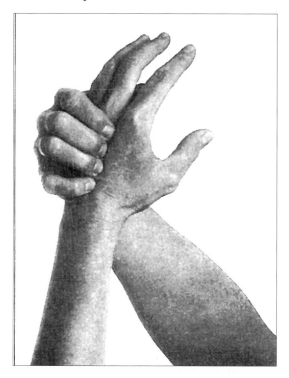

Instrucciones:

1. Presione con sus dedos el espacio entre los huesos de la mano.
2. Deslice los dedos a lo largo de todo el espacio, empezando entre los nudillos; use una presión firme, deslice la punta de los dedos a lo largo de los canales hacia la muñeca.
3. Regrese a las áreas más afectadas. Presione directamente sobre los puntos dolorosos con una presión firme y prolongada (sin mover los dedos). Siga presionando hasta que sienta que el dolor empieza a ceder.

Sugerencias: mientras mantiene los dedos entre los espacios de los huesos, rote lentamente la mano sobre la muñeca. Recuerde, hay que respirar profundamente. Hay que estimular también el punto #1,

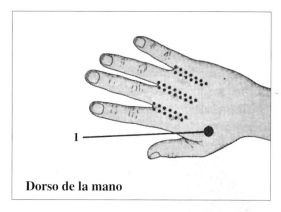

Dorso de la mano

colocando el dedo gordo de la mano que realiza el masaje entre los dedos índice y pulgar de la mano que está masajeando. Recuerde que debe presionar hacia el hueso del dedo índice.

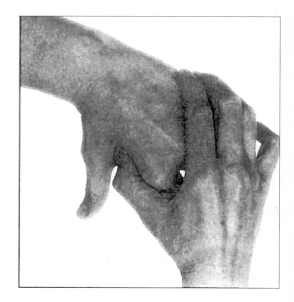

Apriete el lado externo de la mano

Posición: coloque la palma de la mano que va a hacer la presión sobre el dorso de la otra. Doble los dedos de la mano que va hacer la presión, agarrando el borde externo de la mano y tocando con la punta de los dedos la palma.

Instrucciones:

1. Presione gradualmente el dorso de la mano con la palma de la otra. Hágalo por cinco segundos. Por un minuto, masajee así diferentes partes del dorso de la mano.

2. Con la punta de los dedos presione el borde externo de la mano, desde la muñeca hasta el dedo meñique.

3. Estando en la posición inicial, mueva los dedos hacia la muñeca y presione firmemente al centro del pliegue interno de la misma. Con la base de la misma mano, presione sobre el dorso el centro de la muñeca.

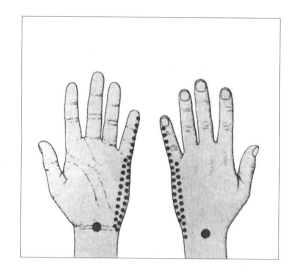

Sugerencia: presione el punto central y externo de la muñeca (dorso y palma) por dos minutos. Estos puntos son excelentes para aliviar la artritis de la muñeca y los dedos.

Presión del dedo gordo

Posición: coloque uno de los dedos gordos sobre la palma de la otra mano.

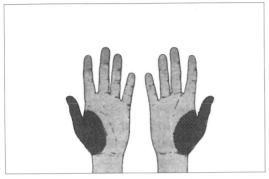

Instrucciones:
1. De tres a cinco segundos, presione con todos los dedos el área del dedo gordo.

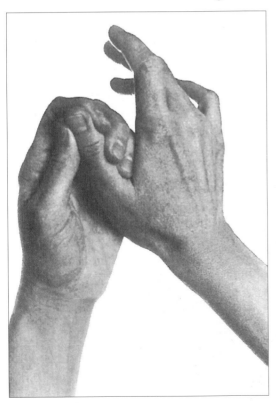

2. Apriete y masajee la base del dedo gordo.
3. Masajee firmemente las articulaciones del dedo gordo.

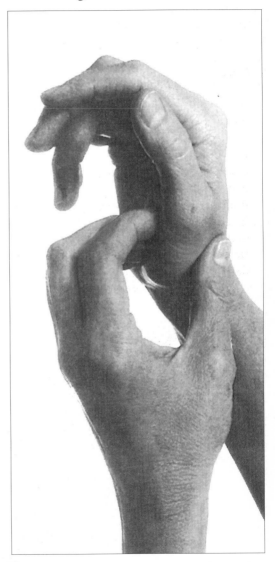

Sugerencia: apriete la base del dedo gordo firmemente por 20 a 30 segundos. Use el dedo gordo de la mano que realiza el ejercicio para dar masaje a la uña del otro dedo gordo.

Presione con el dedo gordo la palma y la muñeca

Posición: Coloque su dedo gordo sobre la palma de la otra mano. Los dedos úselos como apoyo sobre el dorso de la mano.

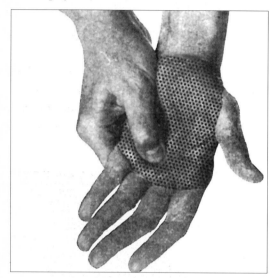

3. Presione los puntos dolorosos por uno o dos minutos con una presión ligera pero firme y sin mover los dedos hasta que mejore el dolor.

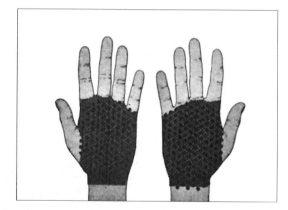

Instrucciones:

1. Presione los espacios entre los huesos de los dedos de la mano, de cinco a diez segundos. Para incrementar la intensidad de la presión, apriete simultáneamente el dedo gordo sobre la palma y los dedos restantes sobre el dorso.
2. Observe si encuentra puntos dolorosos.

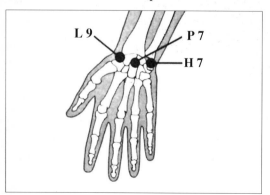

Sugerencia: Cuando presione los puntos de la palma, haga movimientos circulares lentos. Mientras más lentos sean éstos, más benéfica será la digitopresión. Presione los puntos en la muñeca como se ilustra por espacio de 20 a 30 segundos en cada uno. Estos puntos son importantes para aliviar el dolor de la artritis.

Es útil inclinar lentamente el tronco hacia adelante mientras exhala y aplica la presión. Inhale mientras libera la presión e inclina el tronco hacia atrás.

Agarre fuertemente la muñeca

Posición: Coloque la palma de la mano sobre la muñeca y apriete fuertemente.

Instrucciones:

1. Apriete la muñeca por cinco segundos envolviéndola con los dedos de un lado y el pulgar por el otro.
2. Apriete y libere varias veces, cada vez, desplazando la mano ligeramente de la posición inicial.
3. En forma simultánea aplique presión alrededor de la muñeca y retuérzala suavemente de un lado a otro.

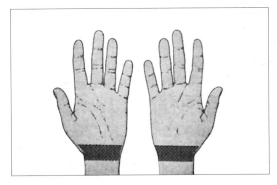

Sugerencia: Mientras aprieta la muñeca mueva su mano hacia adelante y hacia atrás. Haga movimientos circulares en los dos sentidos.

Posiciones de la muñeca

Posición: Apriete firmemente la muñeca con la mano, colocando, según le resulte más cómodo, la palma sobre el dorso o bien del lado de la palma.

Instrucciones:

1. Mueva la muñeca para localizar la articulación.
2. Firmemente presione en los huecos que encuentre cuando dobla la muñeca hacia la palma. Continúe presionando por 30 a 60 segundos.
3. Libere la presión gradualmente. Deslice suavemente los dedos hasta encontrar otro hueco y presiónelo por otro minuto.

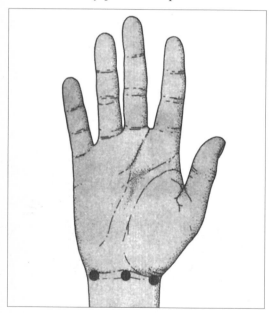

Sugerencia: Mientras aprieta firmemente la muñeca haga movimientos circulares. La combinación de la digitopuntura y el movimiento puede estimular la curación en la muñeca y mano. Si alguno de los puntos de la muñeca resultara particularmente

doloroso presiónelo directamente hasta que disminuya el dolor.

MASAJE DE LA MANO CON PELOTA DE GOLF

La artritis frecuentemente imposibilita a quienes la padecen a realizar determinados movimientos con las manos, esto podría dificultar la aplicación de la presión que requieren algunos ejercicios. He encontrado que tanto los huesos del aguacate como las pelotas de golf son excelentes herramientas para mejorar la rigidez y el dolor en las manos. El tamaño de éstas permite que se acomoden fácilmente en la palma de la mano, facilitando a quienes padecen artritis la adecuada aplicación de la presión sin esforzarse.

Para usar efectivamente estos instrumentos de masaje de las manos, será necesario que aprenda a manejarlos, con el fin de usar la pelota como palanca y al mismo tiempo controlar el monto de presión aplicada. Las siguientes páginas ilustrarán cómo puede usar la pelota de golf para estimular varios puntos de la mano.

Intente usar la pelota de golf durante su tiempo libre, cuando ve la televisión, habla por teléfono o cuando sus manos estén libres. Experimente las diversas formas de agarrar y mover la pelota para ejercitar sus articulaciones, liberar tensión y estimular e incrementar la circulación.

Precaución: Cuando use la pelota de golfo el hueso de aguacate, aplique siempre la presión en forma gradual. Estimular rápidamente con este duro material debe evitarse, pues puede producir lesiones y magulladuras innecesarias.

Ruede la pelota de golf: los dedos gordos

Posición: Acuñe la pelota entre los dedos índice y medio de la mano que va a realizar el masaje. Coloque la pelota sobre la base del dedo gordo, y el dedo gordo de la mano que realiza el masaje sobre el dedo gordo de la mano que va a masajear

Instrucciones:

1. Gire la pelota lentamente a lo largo del dedo gordo, hacia arriba y hacia abajo. Mueva el dedo gordo de la mano que realiza el masaje detrás de la pelota para un mejor apoyo y palanca.
2. Coloque la pelota directamente sobre los puntos más dolorosos y sostenga, con una presión moderada, constante y firme hasta que sienta que el dolor y las molestias disminuyan.

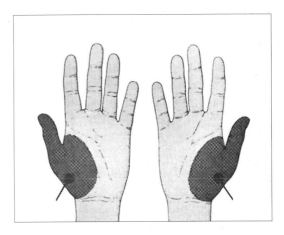

3. Coloque nuevamente la pelota de golf sobre el cojincillo de la palma de la mano para presionar el punto #2 por un minuto.

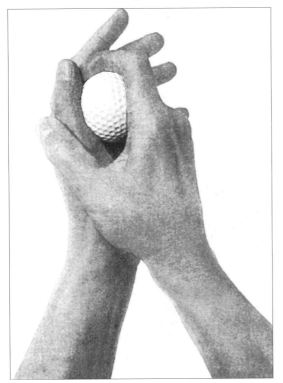

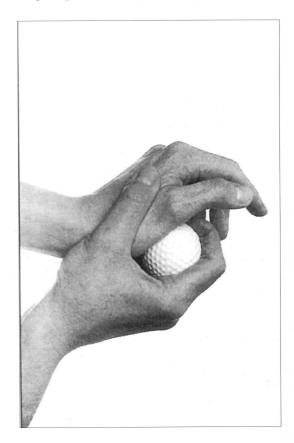

Ruede la pelota de golf: cada dedo

Posición:
Sostenga la pelota con la palma de la mano que va a realizar el masaje. Coloque los dedos de la mano que hace el masaje por debajo de cada dedo que va a masajear, tal como se ilustra en la foto 26.

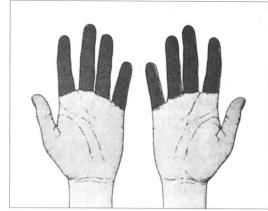

Instrucciones:
1. Gire la pelota lentamente a lo largo de cada dedo, descansando las manos sobre el muslo como apoyo.
2. Coloque la pelota directamente sobre las articulaciones dolorosas y sostenga con una presión constante y moderada hasta que sienta alivio.
3. Gire la pelota en cada dedo. Dedique un tiempo extra a aquellas articulaciones dolorosas, usando una presión constante y prolongada.

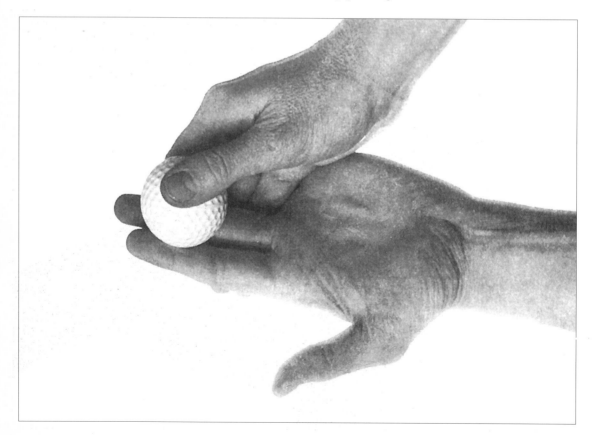

Gire la pelota de golf en el punto antiinflamatorio[26]

Posición:

Coloque la pelota sobre el dorso de la mano, entre los dedos gordo e índice. Sostenga la pelota en su lugar presionando con la palma de la otra mano.

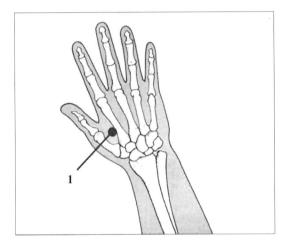

Instrucciones:

1. Gire lentamente y por un minuto la pelota en el tejido que se encuentra entre los dedos pulgar e índice.
2. Coloque la pelota en la "V", es decir, en la intersección de los dedos pulgar e índice. Sostenga firmemente la pelota por un minuto presionando en forma moderada.
3. Mueva la pelota 2 cm hacia la punta del índice (desde coyuntura "V") y presione directamente sobre el punto #1, como se muestra, por 2 ó 3 minutos.

Sugerencia: Repítalo dos o tres veces diariamente (mañana, tarde y noche) para mejores resultados del alivio del dolor de la artritis.

---

[26] El Punto antiinflamatorio #1 es un punto general de alivio del dolor, especialmente bueno para aliviar el dolor artrítico, así como el estreñimiento, dolor de muelas y la mayoría de los dolores de cabeza. Por favor, note que el punto antiinflamatorio no debe usarse durante el embarazo.

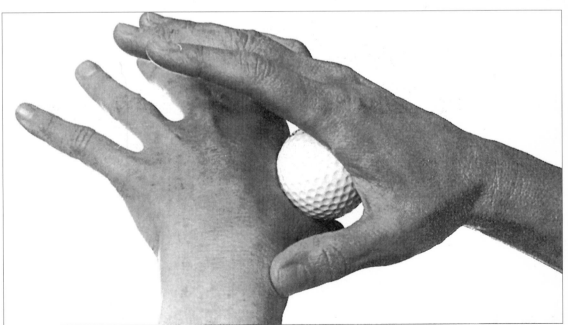

Presione con la pelota de golf la palma de las manos

Posición: Con las manos abiertas, coloque la pelota entre ambas palmas.

Instrucciones:
1. Apriete firmemente la pelota con ambas manos. Gire la pelota gradualmente sobre diferentes partes de la mano.
2. Coloque la pelota sobre los puntos más dolorosos y mantenga una presión moderada y firme hasta que desaparezca el dolor.
3. Coloque nuevamente la pelota el centro de la mano y presione el punto P8 por un minuto.

Sugerencia: Procure que una de las manos sea la activa, la otra pasiva. Presione la mano pasiva hasta que se relaje. Luego invierta el sentido y repita.

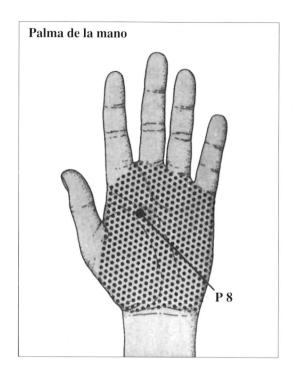

Palma de la mano

P 8

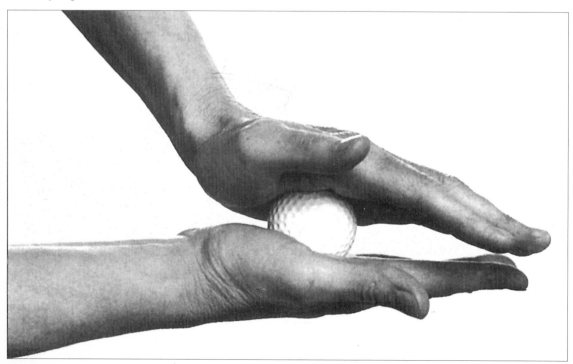

Apriete la pelota

Posición: Coloque la pelota entre ambas palmas y entrelace los dedos.

Instrucciones:

1. Gire la pelota lentamente sobre todas las áreas de la mano.
2. Gire la pelota con movimientos circulares y pequeños, cubriendo el área del tamaño de una moneda.
3. Observe las áreas que producen dolor o molestias. Coloque la pelota en esos puntos presionando suavemente. Sostenía la pelota en forma estacionaria en esta posición por unos cuantos minutos hasta que desaparezca el dolor.

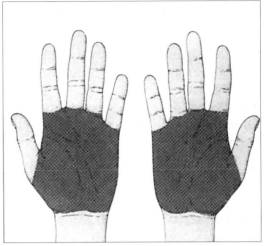

Sugerencia: Coloque la pelota en el centro del pliegue de la muñeca y gírela lentamente haciendo pequeños círculos.

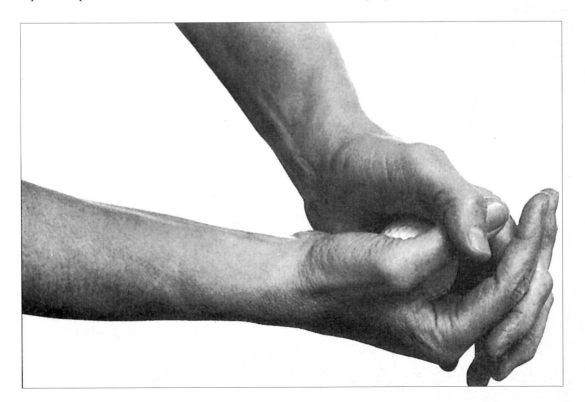

Gire la pelota de golf en los dedos

Posición: Con la mano doblada en forma de copa. Atrape la pelota entre los dedos pulgar e índice.

Instrucciones:
1. Coloque uno de sus dedos entre le pelota y los dedos de la mano que va a masajear.
2. Lentamente gire la pelota sobre el dedo, especialmente en las articulaciones y las áreas rígidas y dolorosas.

Sugerencia: Varíe la cantidad de presión que aplica apretando o soltando el puño.
Sostenga la pelota en forma estacionaria (es decir sin movimiento) directamente sobre los puntos dolorosos usando una presión librera; manténgala hasta que el dolor desaparezca.

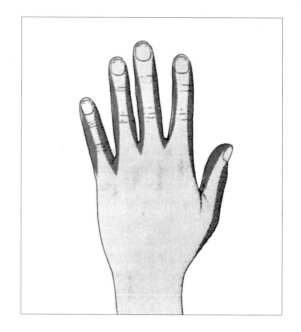

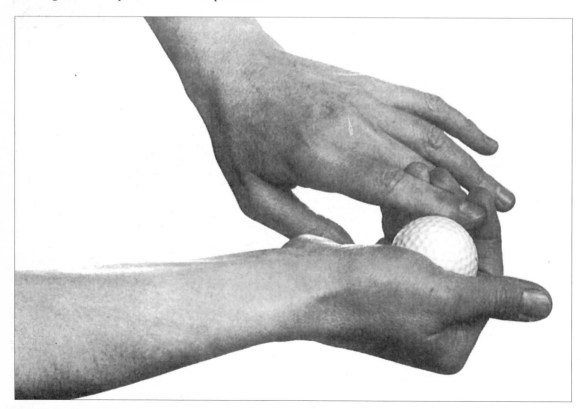

TÉCNICAS PARA AYUDAR A OTROS CON ARTRITIS EN LAS MANOS

1. Coloque la mano que va a masajear con la palma hacia abajo. Apriétela y retuérzala firmemente. Use toda su mano para presionar desde la muñeca hasta los dedos. Masajee la mano varias veces. ***Sugerencia adicional:*** Mientras aprieta suavemente la mano, estírela gradualmente separando los huesos.

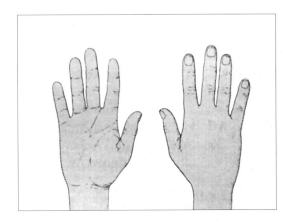

2. Presione las partes externas de la mano. Aplique gradualmente presión sobre las partes blandas de la palma. Presiónelas como si moldeara arcilla y masajeara una pasta.
Sugerencia adicional: intente masajear la mano firmemente y con movimientos lentos. Los movimientos lentos, conscientes y graciosos son muy importantes en el masaje de la digitopuntura.

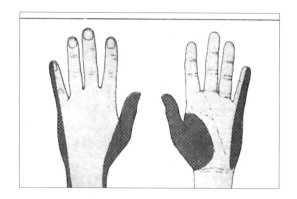

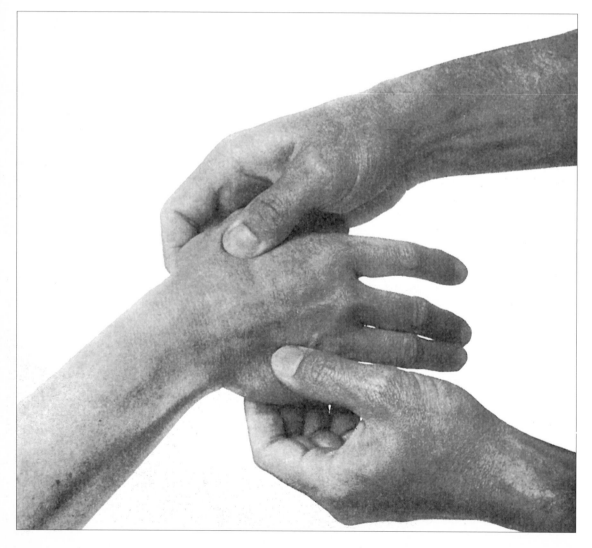

3. Presione y gire cada dedo separadamente desde la base hasta la punta. Jale cada dedo mientras se desliza sobre él para someter las articulaciones a tracción. Mueva la punta del dedo de lado a lado firmemente cuando llegue a ella.
   Sugerencia adicional: Gire cada dedo en círculos lentos y pequeños para relajar las articulaciones antes de jalar el dedo y aplicar la tracción.

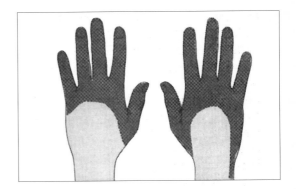

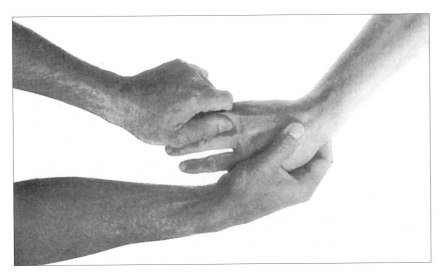

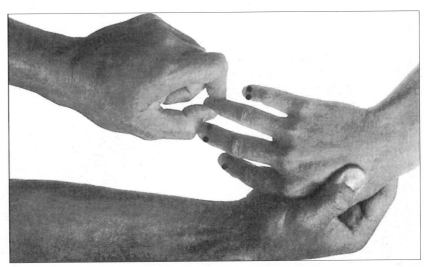

4. Masajee el tejido que se encuentra entre los dedos. Estos puntos son de importancia para aliviar el dolor producido por la artritis en los dedos y manos.

Sugerencia adicional: después de masajear este tejido, regrese a las articulaciones. Esta vez sólo aplique presión en los espacios entre los dedos sin realizar ningún movimiento de masaje. Sostenga cada punto firmemente por un minuto para aliviar el dolor.

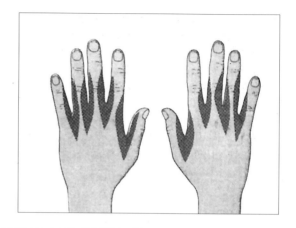

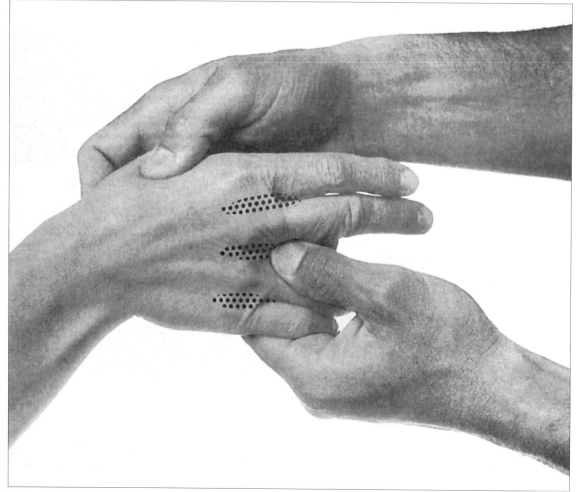

5. Masajee y presione concienzudamente entre los dedos pulgar e índice. Con la mano del paciente hacia abajo, presione la parte externa de la mano con el pulgar y con los otros dedos presione la palma.

Sugerencia adicional: Mientras presiona el tejido entre los dedos índice y pulgar, incline la presión hacia y debajo el hueso del dedo índice.

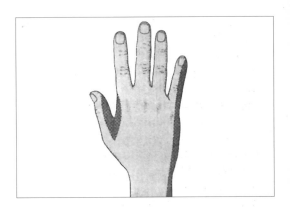

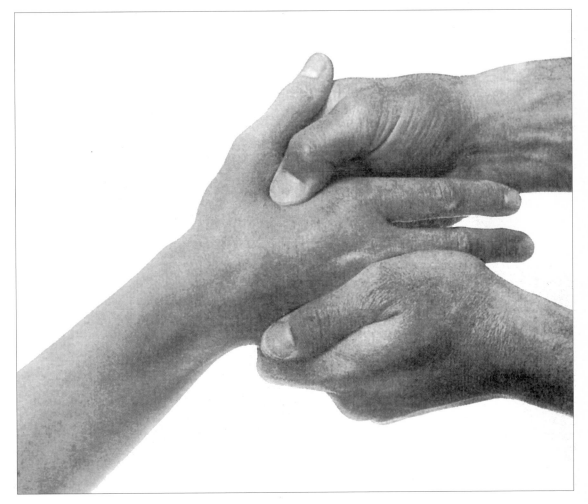

6. Presione a lo largo de cada dedo.
   Empiece apretando firmemente la base
   de cada dedo. Mueva cada segmento del
   dedo mientras jala y se desliza hacia la
   uña. Presione y jale cada dedo de esta
   forma.
   Sugerencia adicional: presione el lecho
   ungueal de cada uña con los dedos pulgar
   e índice. Hay puntos especiales de
   digitopuntura que se localizan a cada
   lado de la uña útiles para aliviar el dolor
   en las articulaciones de los dedos.
   Presione a ambos lados del lecho ungueal
   por dos o tres minutos para aliviar el
   dolor.

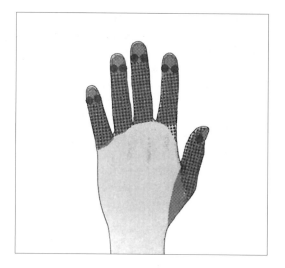

7. Voltee la mano. Con los pulgares, presione desde la muñeca hacia el centro de la palma.

Sugerencia adicional: mientras presiona firmemente, mueva lentamente los dedos para estimular el área. Si encuentra algún punto molesto o sensible, simplemente presiónelo suavemente por unos cuantos minutos para aliviar el dolor.

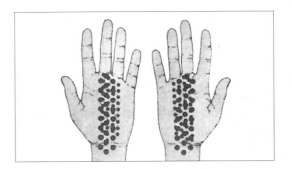

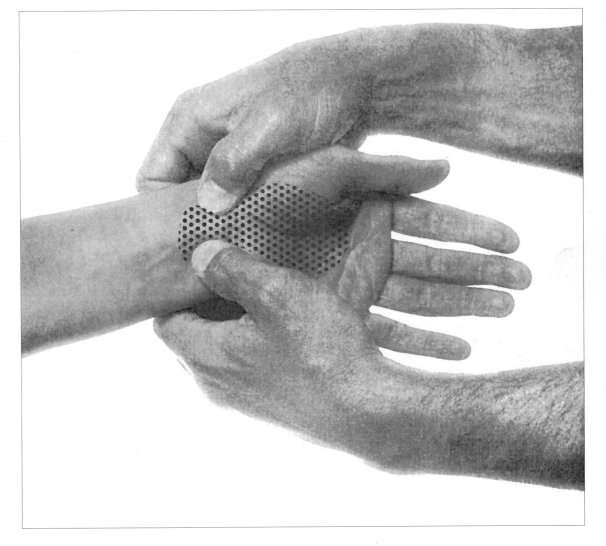

8. Presione directamente sobre el cojincillo que se encuentra en la base de los dedos pulgar y meñique.

Sugerencia adicional: suele ser efectivo masajear firmemente estos cojincillos donde se acumula la tensión. Esta técnica de masaje de digitopresión, lentamente disminuye y suaviza la tensión en estas áreas.

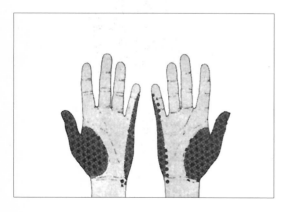

9. Use los nudillos para dar masaje y presionar la palma de la mano. Gradualmente presione la palma de cinco diez segundos. Libere la presión lentamente para presionar en otro lugar.

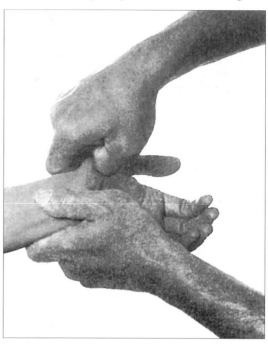

Sugerencia adicional: lentamente rote la dirección de la presión que aplica con los nudillos. Procure también frotar y girar lentamente los nudillos sobre la mano sobre la que trabaja.

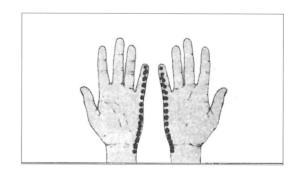

10. Use la primera articulación del dedo pulgar para presionar varios puntos de la mano.
Esta puede ser una técnica muy fuerte, por lo que debe procurar no presionar muy fuerte.

Sugerencia adicional: use el dedo índice (de la misma mano que esta trabajando) como punto de apoyo por detrás del sitio de presión del nudillo del pulgar.

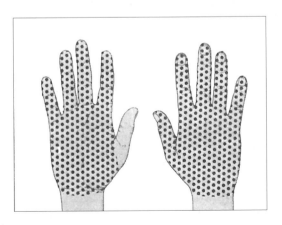

11. Doble los dedos de la mano sobre la que trabaja sobre la palma. Encierre la mano en la posición que señala la foto y gradualmente apriétela unas cuantas veces.

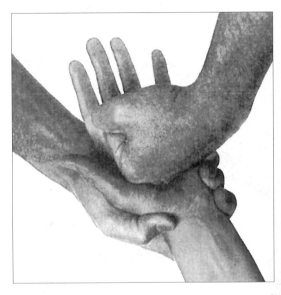

Sugerencia adicional: con los dedos en esta posición, gire la mano sobre la muñeca para estirar las articulaciones.

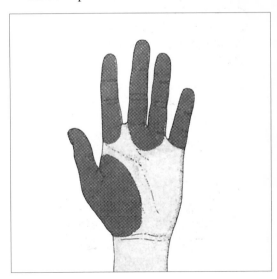

12. Entrelace sus dedos con los del paciente. Lenta y suavemente jale los dedos mientras los desliza hacia afuera dándole a las articulaciones una firme pero suave tracción.

    Sugerencia adicional: jale cada dedo en forma individual y nuevamente entrelace los dedos para traccionar las articulaciones.

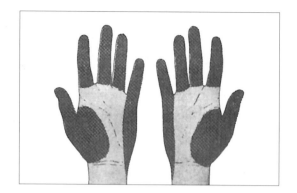

DOLOR
EN BRAZOS
Y HOMBROS

El dolor artrítico del hombro usualmente empieza en forma sorda y comúnmente escala hacia un dolor severo. Algunos movimientos del hombro y la cabeza frecuentemente agravan este dolor.

Quienes padecen de artritis en el hombro han acumulado en forma crónica una gran cantidad de tensión a través de los años. Los hábitos modernos de vida y los trabajos estresantes crean y refuerzan la tensión de los hombros. Mecanografiar, trabajar en un escritorio o en una computadora pueden producir tensión en los hombros. Cuando se pierde la postura su respiración se hace superficial. Se desarrolla la tensión y con el paso de los años puede iniciarse la inflamación de las articulaciones. Los conductores que encorvan los hombros mientras sostienen el volante, desarrollan este tipo de tensión. Cualquiera en situaciones competitivas y estresantes -sea un ejecutivo o un estudiante- que realiza trabajos en electrónica o artes gráficas frecuentemente sufren de dolores de espalda.

Uno de mis primeros pacientes que vivía en Los Angeles y era dueño de una fábrica de zapatos, tenía severos dolores de espalda. Aunque tanto él como su esposa eran eventualmente dejaban de lado muchas responsabilidades y obligaciones estresantes en sus vidas. Mientras presionaba los puntos de digitopuntura en sus hombros, respiró profundamente y exclamó: "siento como si estuviera sacando de mis hombros unas largas y enmohecidas uñas. El alivio que siento está más allá de las palabras". Otra de mis pacientes que padecía de dolor en el hombro cargó una bolsa de correo en su espalda por muchos años. Ella particularmente se quejaba de dolor en el hombro cuando la levantaba. Había un chasquido cuando movía el brazo hacia atrás. Usando los puntos de digitopuntura #6, #7 y GB 21,[27] le ayudé a ella y a varios cientos más con este tipo de problema, desde una bursitis hasta dolor de hombro producido por lesión.

La artritis en el hombro, excepto la caliente, responderá bien a las compresas calientes, junto con estimulación de los puntos y los ejercicios que siguen.

---

[27] Estos Puntos se refieren al sistema de puntos de acupuntura/acupresión del cuerpo. No necesita conocer ninguno de estos números de referencia profesional para saber cómo practicar los ejercicios de alivio de la artritis y autoacupresión.

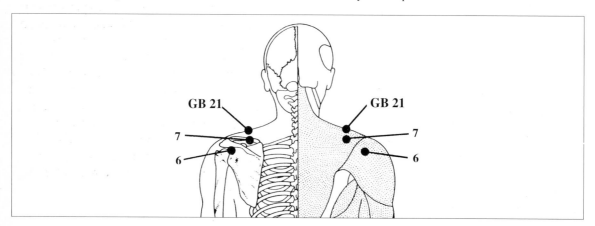

PUNTOS QUE ALIVIAN EL DOLOR DEL HOMBRO Y EL BRAZO

Los siguientes puntos son buenos para aliviar el dolor y la tensión en los hombros y los brazos. Aplique un minuto de presión firme a cada uno de los siguientes puntos con los dedos doblados en forma de gancho.

GB 21 es el punto donde se localiza la mayor tensión en los hombros. Se localiza en la parte superior del hombro, debajo del músculo trapecio. Tradicionalmente este punto se ha usado para disminuir la rigidez del cuello, reumatismo y dolor del hombro.

LI 14 es un punto disparador de alivio del dolor de los hombros y de la tensión crónica. Este punto se localiza en la V que forma el músculo que cubre la parte superior del hombro al descender hacia el brazo. Este punto se usa para disminuir el dolor de muelas, de hombro, dolor en los brazos y rigidez del cuello.

SI 11 es un punto excelente para aliviar la tensión y el dolor tanto en el hombro como en la paleta. Se localiza al centro de la paleta. El punto es extremadamente sensible a la presión fuerte. Este punto se ha usado para las neuralgias, dolor del omóplato y brazo.

Punto #5 ayuda aliviar la artritis del codo; es un punto disparador del alivio del dolor del hombro y del brazo. Ha sido usado tradicionalmente para beneficio del sistema inmune y es especialmente bueno para aliviar la constipación.

Punto #6 es un punto clave para el alivio del dolor del hombro y del brazo. Se localiza en

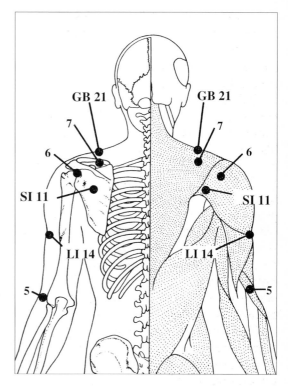

la unión del hombro y del brazo, entre el borde superior del hombro y el pliegue de la axila. Este punto de digitopuntura ha sido usado para el alivio de la hipertensión y la bursitis del hombro.

Punto #7 es un excelente punto para aliviar el dolor del hombro y del brazo. Se localiza en la parte superior de la paleta; podrá identificarlo como una pequeña canica en la parte externa y superior del omóplato. Este punto ha sido usado tradicionalmente para disminuir la fiebre y la hipertensión arterial, también para la rigidez del cuello y el sistema nervioso central. Unos cuantos minutos de presión firme en este punto es útil para incrementar la resistencia a los resfriados.

TÉCNICA DE AUTODIGITOPUNTURA

Libere la tensión del hombro

1. Empuñe suavemente su mano derecha dejando la muñeca suelta y relajada. Use el puño como un martillo ligero para golpear su hombro izquierdo.

2. En esta misma posición, coloque la mano izquierda sobre el codo derecho y estire el brazo derecho hacia atrás, golpeando con el puño la parte posterior del hombro.
3. Continúe golpeando suavemente a lo largo del brazo hacia la mano.

4. Coloque ahora las manos sobre las rodillas. Siéntese derecho y cierre los ojos. Inhale profundamente y sienta la diferencia en sus hombros.
5. Cambie ahora de lado y trabaje sobre el otro hombro y el otro brazo. Dedique más tiempo al lado que sienta más rígido.

Fricción del brazo

Dé masaje concienzudamente a sus brazos progresando hacia abajo desde los hombros hacia las manos. Frote cada brazo por espacio de cinco a diez segundos.

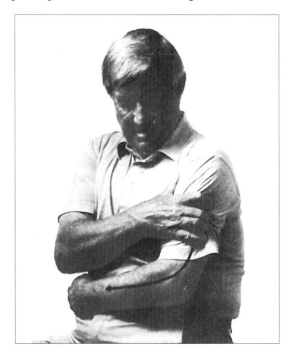

Palmotee el brazo y el hombro

Suavemente palmotee el brazo para estimular la circulación, descendiendo desde el hombro hacia la mano. Repítalo dos veces en cada lado.

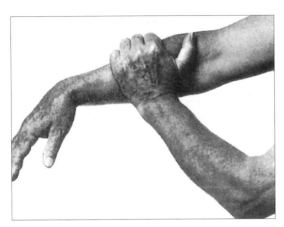

Apriete el antebrazo

Dé masaje al músculo externo del antebrazo, justo debajo del codo. Hágalo por cinco segundos, tres veces de cada lado.

Masaje interno del codo

Frote el codo por su cara interna con movimientos circulares y con la punta de los dedos. Dé masaje por cinco segundos, tres veces de cada lado.

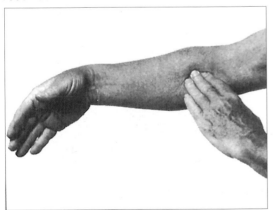

Levante los hombros

Levante los hombros seis veces. Inhale cuando estén arriba, exhale cuando se relajan abajo.

MOVIMIENTO DEL HOMBRO-ALCANCE DEL MOVIMIENTO

El hombro es la articulación de mayor movimiento del cuerpo. Tanto el dolor como la rigidez y la inflamación en esta área (incluye la región del omóplato, parte superior del brazo y la clavícula) pueden limitar severamente los movimientos necesarios para funcionar adecuadamente en la vida cotidiana.

La articulación del hombro tiene pequeños sacos de líquido que permiten que los músculos se muevan uno sobre otro suavemente. Estas bolsas de líquido ayudan a lubricar la articulación disminuyendo así la fricción. La inflamación del hombro y el dolor pueden estar disminuyendo el alcance del movimiento, limitando así el funcionamiento y la circulación. Pruébese usted mismo haciendo los siguientes movimientos para conocer cuál es su grado de motilidad en el hombro. Recuerde, evite el dolor en cualquiera de las posiciones, mueva sólo hasta donde pueda hacerlo *cómodamente*.

Alcance del movimiento del hombro

1. Estando de pie o sentado, extienda los brazos al frente y encima de la cabeza. Luego balancee los brazos hacia atrás y hacia abajo, tan lejos como pueda llevarlos sin esfuerzo. Repita este balanceo dos o más veces.

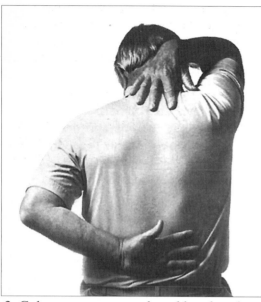

Variante del ejercicio 3: si le resulta difícil levantar los brazos, intente levantarlos estando acostado en la cama. Haga el ejercicio con los codos ligeramente flexionados.

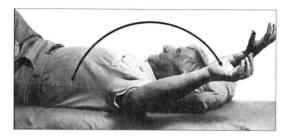

4. Coloque las palmas de las manos en la parte posterior de la cabeza. Inhale profundamente mientras levanta los codos hacia arriba y atrás. Exhale y relájese con los codos hacia el frente. Intente tocarlos.

2. Coloque una mano sobre el hombro, la otra en la espalda; intente alcanzar una mano con la otra sin esforzarse, tal como se ilustra.

3. Repita el mismo ejercicio del otro lado. Levante los brazos hacia los lados y con las palmas hacia arriba. Levante los brazos hasta que se toque las orejas. Si le resultara difícil, hágalo más despacio y realice el estiramiento suavemente. Repita el ejercicio unas cuantas veces más, inhalando arriba y exhalando abajo.

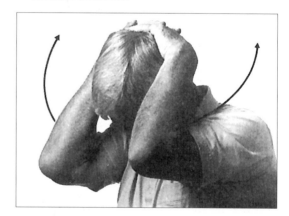

5. Intente luego este movimiento circular con todo el brazo, manteniéndolo extendido mientras completa un movimiento circular amplio. Haga el movimiento con cada brazo.

La siguiente rutina relajará los músculos del hombro al mismo tiempo que los fortalece e incrementa su flexibilidad. Estos ejercicios relajan los músculos para favorecer la circulación en las articulaciones artríticas y en los hombros rígidos.

Balanceo pendular del brazo

Instrucciones:
1. Párese a un lado del frente de una silla.
2. Lentamente inclínese hacia adelante, colocando la palma del brazo sano –libre de dolor– sobre el asiento de la silla.
3. Permita que el otro brazo –el que le ocasiona problema– se balancee libremente hacia adelante y hacia atrás.
4. Ahora balancee el brazo de lado a lado.
5. Finalmente balancee el brazo en un círculo pequeño.

Sugerencia: intente hacer el mismo ejercicio con una pesa en el brazo que balancea. Puede seleccionar un objeto que tenga agarradera como una plancha o una garrafa plástica. Siga las instrucciones anteriores para el movimiento pendular del hombro mientras detiene este objeto. Si practica este ejercicio regularmente con la garrafa plástica, podrá ir aumentando el peso de la misma llenándola con líquido a diferente nivel. Esto incrementará lentamente la tracción que aplica al hombro doloroso.

Balanceo de las manos

Este es un antiguo ejercicio que ha pasado de generación a generación. El balanceo de las manos permite al organismo acumular energía vital a través de la respiración. Mejora la circulación, que vigoriza, despierta y balancea la energía del cuerpo, y contribuye a la salud y al bienestar personal.

Los chinos han documentado numerosos casos demostrando que este ejercicio puede ayudar a mejorar problemas como el insomnio, poco apetito, hipertensión arterial y problemas cardíacos, problemas en los ojos, hemorroides, neurastenia, problemas relacionados con el hígado, estómago, riñones y otros órganos internos.

Muchos de nosotros llevamos vidas sedentarias. No usamos el cuerpo lo suficiente como para mantenerlo saludable y vibrante. Cuando permanecemos sentados mucho rato, por ejemplo, se restringe el movimiento de los pulmones, se comprimen los órganos digestivos, impidiendo así su adecuado funcionamiento. Tampoco se estimula la circulación como sucedería si se practicara algún movimiento activo, favoreciendo así su estancamiento. Muchos problemas de salud son causados o agravados por un pobre aporte de oxígeno y una pobre circulación.

La práctica del balanceo de las manos puede contrarrestar los efectos de una vida sedentaria. Es, junto con caminar, el ejercicio más simple que hay, más aún, mueve y estira el cuerpo, profundiza la respiración y mejora la circulación.

Instrucciones:

1. Párese recto con los pies juntos, las rodillas ligeramente flexionadas y los hombros relajados.

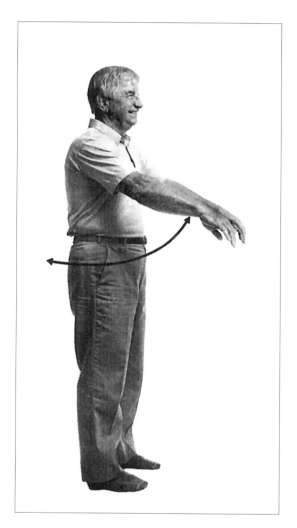

2. Encorve los dedos de los pies intentando agarrarse del piso con ellos. Si usa zapatos, los dedos se agarrarán a las suelas del zapato.

3. Apriete los músculos de las nalgas y contraiga el ano. Esto eleva el recto, que fortalece el sistema reproductivo y favorece las funciones de eliminación. Si nota posteriormente que omitió la contracción, simplemente continúe haciéndola.

4. Relaje el tronco, incluyendo el pecho, la espalda, los hombros, brazos, cabeza, cuello y las mandíbulas.
5. Mire hacia el frente o cierre los ojos.
6. Balancee sus manos hacia atrás y hacia adelante. Cuando estén adelante, estarán paralelas al piso y las palmas estarán hacia abajo. Vigorosamente balancéelas hacia atrás, hasta el límite de su motilidad. Esta fuerza conlleva directamente a un balanceo fácil hacia adelante, ya que a cada acción se opone una reacción.

Sugerencia: cuente cuántas veces balancea sus manos. Empiece lentamente con cien balanceos si le es posible. Lentamente podrá aumentar a doscientos, trescientos, quinientos o mil balanceos. Para mejor beneficio practíquelo cada vez que pueda, varias veces durante el día.

El sentimiento que debe relacionar con este ejercicio es de relajamiento del tronco, con las extremidades inferiores fuertes, sólidas y firmemente adheridas al piso. Mantenga la espalda y la cabeza rectas, como si fueran jaladas hacia arriba por una cuerda. Esto estirará el cuello.

Los hombros, brazos, manos, muñecas, codos deben estar sueltos, moviéndose fácilmente. El pecho deberá sentirse relajado y abierto, permitiendo que la respiración se profundice en forma natural con el movimiento. La cabeza, la cara y la mandíbula deberán estar en calma y relajadas. Asegúrese de que las rodillas permanezcan dobladas mientras realiza el ejercicio.

Mientras practica, haga conciencia de su cuerpo, su respiración y su movimiento. ¡Sienta el alivio y disfrútelo!

Águila que remonta

Instrucciones:

1. De pie o sentado con los brazos relajados a los lados y con las palmas a los lados de los muslos.

2. Inhale y levante los brazos arriba y hacia los lados hasta que estén rectos y arriba de los hombros.
3. Exhale mientras lenta y graciosamente deja caer los brazos hacia los lados, permitiendo que los hombros se relajen.
4. Haga el ejercicio por un minuto, inhalando cuando los brazos estén arriba y exhalando cuando vayan hacia abajo.

Sugerencia: incline la cabeza hacia atrás cuando levante los brazos e inhale. Deje caer la cabeza hacia adelante y hacia abajo cuando exhale, permitiendo una completa relajación del cuello.

Presión de las paletas

Instrucciones:

1. Párese con los pies separados a nivel de los hombros.
2. Inhale mientras entrelaza los dedos detrás de la espalda y con las palmas una frente a la otra.
3. Exhale mientras se inclina hacia adelante y levanta los brazos hacia arriba y detrás de usted.

4. Inhale mientras baja los brazos, relaja los hombros y permanece con los brazos suspendidos.
5. Repita el ejercicio unas cuantas veces más. Luego descanse completamente sobre su espalda o en una silla cómoda con los ojos cerrados por unos cuantos minutos para permitirle al cuerpo asimilar todos los beneficios.

Sugerencia: una vez que los brazos están extendidos hacia arriba, flexione el pecho hacia afuera para presionar y unir aún más los omóplatos.

Precaución: los pacientes con problemas cardiovasculares deberán practicar cuidadosamente este ejercicio y/o consultar con su médico antes de practicarlo.

EJERCICIOS QUE ALIVIAN EL DOLOR DEL HOMBRO

Meciéndose con los omóplatos

Instrucciones:

1. Acuéstese en el piso con las rodillas dobladas y los pies apoyados en el piso.
2. Entrelace los dedos detrás del cuello, levantando la cabeza del piso y los codos apuntando hacia arriba.
3. Inhale y levante la pelvis hacia arriba permitiendo que la cabeza se incline hacia atrás.

4. Muévase hacia adelante y hacia atrás apoyándose sobre los hombros y la parte superior de la espalda, levantando la pelvis hacia arriba mientras la cabeza se descarga hacia abajo; luego levante la cabeza hacia arriba mientras baja la pelvis hacia el piso. Repita esta serie varias veces con los ojos cerrados.

Sugerencia: haga los movimientos rápido y respire profundamente por la nariz. Después de mecerse por un minuto, relájese completamente sobre la espalda con los ojos cerrados para maximizar los beneficios.

Puente que alivia el dolor de los hombros

Instrucciones:

1. Acuéstese de espaldas en el suelo con los brazos hacia los lados y ligeramente flexionados y las plantas de los pies sobre el suelo.
2. Inhale y levante la pelvis hacia arriba.

3. Sostenga este puente mientras respira lenta y profundamente unas cuantas veces.
4. Exhale y baje la pelvis lentamente.
5. Repita el ejercicio varias veces.
6. Relájese completamente acostado sobre la espalda, las piernas flexionadas, los pies apoyados en el piso y los ojos cerrados. Permanezca así unos cuantos minutos.

Sugerencia: cuando levante la pelvis, lleve los brazos doblados por arriba de su cabeza apoyándolos en el piso. Para incrementar la presión sobre los hombros, intente elevar un poco más su pelvis (sin esforzarse).

TÉCNICAS PARA AYUDAR A OTROS QUE TIENEN DOLOR DE HOMBRO

Presión del hombro

La persona a quien se le realiza el masaje deberá sentarse en una silla baja o en un banco, mientras que usted, que realiza el masaje deberá pararse detrás.

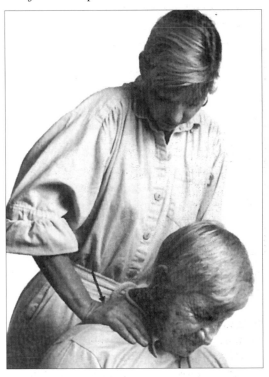

1. Coloque las manos sobre los hombros, sus dedos deberán alcanzar la parte superior del pecho. Gradualmente apóyese e incline su cuerpo hacia adelante, aplicando presión lentamente sobre los hombros. Si el paciente refiere presión en su cabeza, significa que la presión fue aplicada muy rápidamente y muy fuerte. Concéntrese en aplicar la presión gradualmente, entrando y saliendo de los puntos lentamente.

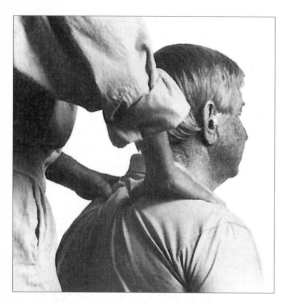

2. Dé un paso hacia atrás de su paciente. Coloque ambas manos sobre la parte superior de los hombros. Use sus dedos gordos para presionar a lo largo de la columna. Deje que su cuerpo se apoye sobre sus dedos pulgares para presionar los músculos para vertebrales (podrá sentirlos como un par de cordones gruesos a ambos lados de la columna) presiónelos de cinco a diez segundos.

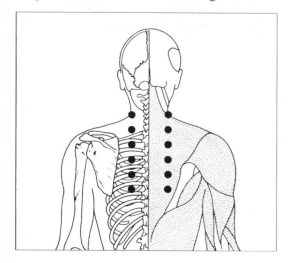

Continúe descendiendo hasta donde señala la figura. Mantenga los hombros y los brazos relajados.

3. Para cubrir el área más concienzudamente puede utilizar la segunda articulación y el nudillo de su dedo índice para hacer la presión. Gradualmente apóyese y presione sobre la espalda del paciente. Usualmente diez segundos para trabajar cada uno de los puntos que se ilustran. Si siente alguna contractura o espasmo en alguno de estos puntos presiónelo firmemente por espacio de un minuto para liberar la tensión en esta parte superior de la espalda.

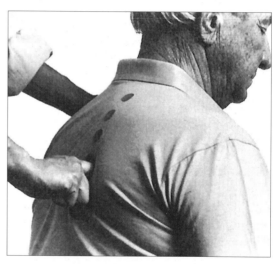

El dedo pulgar podrá usarse para trabajar estas contracturas que tienden a acumularse debajo de los omóplatos. Sostenga el hombro izquierdo con la mano izquierda mientras trabaja debajo del omóplato izquierdo. Con su mano izquierda mueva el hombro hacia atrás, esto favorecerá que el omóplato sobresalga mientras presiona la espalda con el pulgar. Cambie de lado y trabaje ahora sobre el lado que falta.

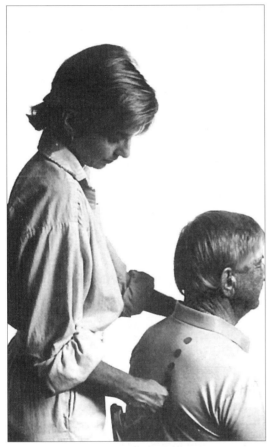

Podrá también elevar el omóplato aplicando presión sobre el pecho y la parte superior del brazo. Esto ayudará también a estabilizar al paciente.

Use la respiración para ayudar a liberar tensión e incrementar la tolerancia a la presión. El paciente deberá exhalar cuando se aplica la presión e inhalar cuando se libera la misma. Mantenga un patrón rítmico de respiración y coordínelo con sus movimientos.

4. Coloque sus manos sobre los hombros del paciente, con los dedos hacia el frente y los dedos pulgares hacia atrás, hacia la espalda, con ellos presione a lo largo de los músculos trapecio. Presiónelos gradualmente. Sostenga la presión por cinco segundos en el lugar de mayor tensión. Libere la tensión lentamente. Los tres puntos ilustrados en la parte superior del hombro deberán estimularse tres veces para liberar la tensión del hombro.

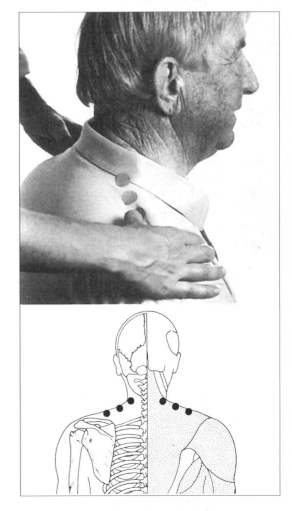

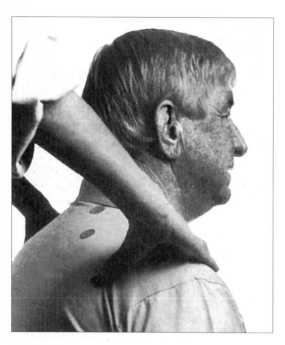

5. Coloque nuevamente los pulgares en la posición original; presione los puntos que en diagonal llegan debajo de la axila. Use el peso de su cuerpo no el de las muñecas para aplicar la presión.

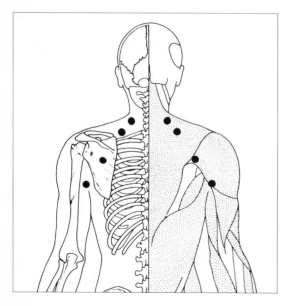

Masaje en decúbito

Coloque a su paciente acostado de lado y en posición fetal sobre una alfombra o tapete. Coloque su cabeza sobre una almohada para alinear así las primeras vértebras con las otras.

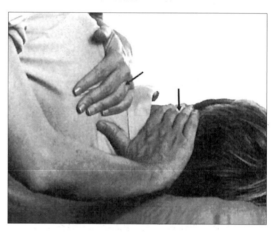

1. Empuje gradualmente el hombro hacia atrás con una mano, mientras que con la otra sostiene la parte lateral del cuello. Esto ayudará a estirar los músculos externos del cuello. Use su dedo pulgar para presionar ligeramente el músculo. Trabaje desde la parte superior, es decir, donde el músculo se une al cráneo, hacia abajo, hacia el hombro. Es útil observar

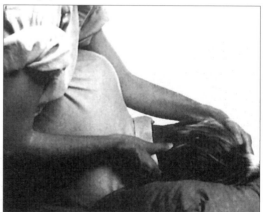

la expresión facial del paciente con el fin de obtener información acerca de la intensidad de la presión que se ejerce.

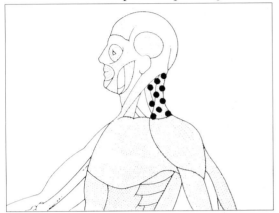

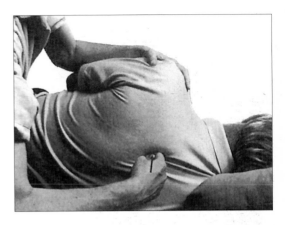

2. Arrodíllese detrás de su paciente. Coloque una de sus manos sobre la parte superior del pecho y la otra en la parte superior de la espalda. Apriete con ambas manos el hombro. Empiece a mover el hombro hacia arriba, hacia la oreja, y luego desciéndalo lentamente. La flexibilidad aumentará conforme disminuya la tensión muscular. Empiece por mover sólo un poco la articulación del hombro. Incremente la motilidad poco a poco cuando sienta que el músculo empieza a relajarse.

3. Coloque una de sus manos sobre el hombro superior del paciente (el que queda libre). Con el pulgar e índice de la otra mano dé masaje al omóplato. Lentamente mueva el hombro hacia atrás con la mano que lo detiene para que sobresalga el hueso y masajéelo con el dedo pulgar y el nudillo del índice de la otra mano. Mover el hombro hacia afuera le permitirá dar masaje debajo del hueso donde frecuentemente se acumula la tensión.

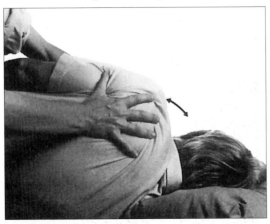

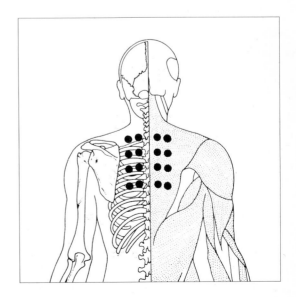

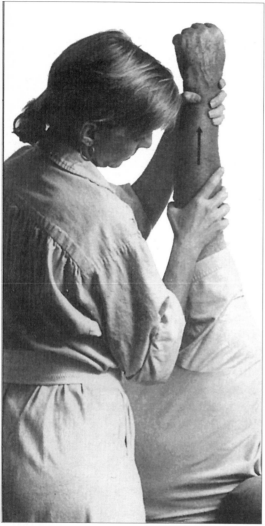

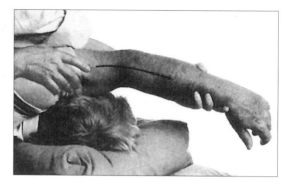

5. Tome la muñeca del brazo libre de su paciente con su mano. Mueva el brazo sobre la cabeza, estirándolo hacia la oreja. Use la palma de la otra mano para inclinarse sobre la parte interna del brazo que está trabajando. Trabaje desde la axila hacia el codo.

6. Regrese el brazo a la posición original. Presiónelo con la palma de ambas manos desde el hombro hasta la muñeca. Mantenga los codos rectos. Gradualmente incline y apoye el peso de su cuerpo sobre el brazo. Finalice dando masaje a la mano y jalando cada dedo.

4. Coloque el brazo libre o superior hacia arriba en posición vertical. Sosténgalo con ambas manos y jale lentamente hacia arriba, estirando los músculos que se insertan en la cavidad del hombro. Manténgalo levantado unos cuantos segundos y luego bájelo lenta y cuidadosamente. Estírelo varias veces. Tenga cuidado con la muñeca cuando estire el brazo.

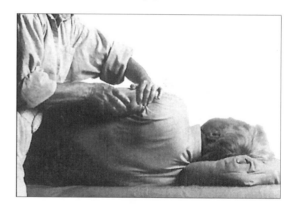

Pídale a su paciente que cambie de lado. Dedique más tiempo a las áreas más dolorosas y rígidas.

DOLOR DEL CUELLO

El dolor de la artritis en cualquier parte del cuerpo, especialmente en las extremidades (manos, brazos, pies, rodillas, piernas y cadera) producen frecuentemente rigidez en los músculos del cuello. El efecto que se produce es dolor y disminución de la motilidad.[28]

Cuando la artritis se asienta en el cuello, los correspondientes músculos tienen dificultad para sostener el peso de la cabeza, que usualmente es entre quince a veinte libras. El estrés produce una carga adicional a los músculos del cuello, generándose así un circulo vicioso pues las articulaciones inflamadas y la tensión generan un exceso de tensión y con ello dolor en el cuello.

Uno de mis clientes había padecido de un fuerte dolor en el cuello por espacio de diez años. Sus médicos le diagnosticaron artritis en las vértebras cervicales. El dolor que presentaba se irradiaba a los hombros, los brazos y la cabeza. Su dolor era tan severo que tuvo que ser hospitalizada y colocada en tracción. Un neurocirujano le colocó un collarín con el fin de ayudarle a controlar el dolor. Este estabilizó su cuerpo, pero ella estaba ansiosa de obtener mayor progreso. Después de unas cuantas sesiones de digitopuntura su alivio fue tan sustancial que no requirió más el collarín.

Otra de mis clientes de mayor edad, que padecía de dolor en el cuello, había disminuido la motilidad del mismo con el fin de controlar el dolor. Después de la enfermedad inicial, ella pasaba algún tiempo en casa sometida a tracción y su cuello se tomó extremadamente rígido y doloroso. Intentó entonces numerosas técnicas

incluyendo terapia física, medicación diaria, ninguna de las cuales parecía brindarle alivio del dolor o aumentar su rango de motilidad. Con la terapia de movimiento de Feldenkrais obtuvo cierto alivio, pero ella sentía que aún podía hacer mayores progresos.

Después de su primera sesión de digitopuntura la paciente expresó que había sentido mas alivio con la digitopuntura que con cualquiera otra técnica que hubiera empleado en los últimos dieciocho años. No sólo obtuvo alivio de sus molestias sino que también presentó estabilidad de su cuello, se sentía mejor alineada y en balance y obtuvo un rango de motilidad que no había tenido en años.

Una vez que empezó a aprender la digitopuntura, encontró que podía ayudarse ella misma. Los puntos de digitopuntura localizados debajo de la base del cráneo le ayudaron a aliviar el dolor y a desaparecer lo que ella llamaba "sus puntos". Cuando se le dificulta nuevamente mover la cabeza y el dolor vuelve a insinuarse, utiliza entonces las técnicas de autoayuda.

AUTOAYUDA PARA EL CUELLO

Hay muchas técnicas de auto ayuda para aliviar la tensión crónica del cuello que frecuentemente ocurre en forma secundaria a la tensión contra el dolor localizado en otra parte del cuerpo. He encontrado que una combinación de acu-yoga (usa la postura para presionar los puntos de digitopuntura bajo la forma de auto tratamiento), compresas calientes, respiración profunda y digitopuntura son particularmente efectivos. Primero aplique las compresas calientes sobre los hombros y el cuello hasta que la piel se torne rosa, indicando un incremento

---

[28] Semyon Krewer, *The Arthritis Exercise Book,* Simon & Schuster, 1981.

en la circulación. Las compresas Ginger son más efectivas para relajar los músculos en esta área.[29]

Si las compresas son inconvenientes o no están disponibles, haga el lavado en seco que se describe más adelante. Después de hacer el lavado y masaje facial en seco o de aplicarse las compresas calientes, rote su cabeza muy lentamente cinco veces en una dirección y luego la otra. Mantenga los ojos cerrados y respire profundamente mientras hace este ejercicio. Esto le ayudará a estirar el cuello y en forma natural reubica las vértebras en la región cervical.

Lavado y masaje en seco de la cara

1. Frote ambas manos hasta crear calor.
2. Inmediatamente masajee su cara y cuello con las palmas de las manos.

Beneficios: un lavado en seco diario ayuda a limpiar los poros, restaurando el tono y brillo de la piel. Este masaje tibio es útil para el acné y la rigidez del cuello.

---

[29] Consultar la página 223, para indicaciones sobre cómo preparar compresas de jengibre.

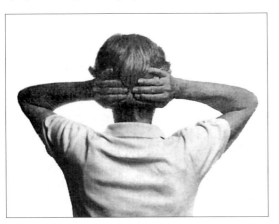

Tocando el tambor del cielo

Este ejercicio estimula los puntos de digitopuntura localizados debajo del cráneo.

1. Sentado cómodamente, coloque sus dedos medios en la base del cráneo y sobre estos coloque los dedos índices correspondientes.
2. Cubra sus oídos firmemente con la palma de ambas manos.
3. Chasquee los dedos índice sobre los del medio en el reborde occipital aproximadamente por un minuto. Escuche este sonido como de tambor en el interior de sus oídos.

Beneficios: alivia el dolor artrítico del cuello, dolor de cabeza, tensión del cuello, vista cansada y mareos.

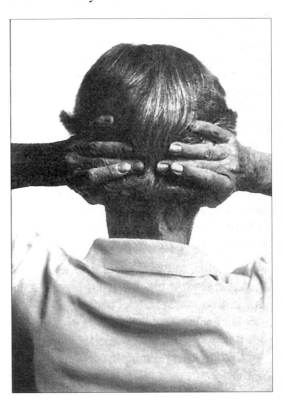

Mire hacia atrás

1. Párese con los brazos cruzados sobre el pecho, la barbilla sobre el hueco entre las dos clavículas, estirando la parte posterior del cuello.

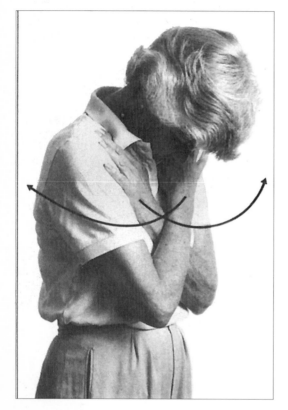

2. Inhale profundamente, abra los brazos hasta un ángulo de cuarenta y cinco grados del cuerpo y voltee la cabeza hacia la izquierda, mirando tan atrás y lejos como le sea posible. Lleve los brazos hacia atrás, arqueando el pecho hacia adelante y hacia arriba. Sentirá el estirón en sus brazos, muñecas, cuello y también en los ojos cuando mira hacia atrás.
3. Exhale, regresando la cabeza y los brazos a la posición original.

4. Repita el mismo movimiento pero ahora hacia el lado derecho. Alterne los lados, haciéndolo seis veces en total.

Beneficios: alivia el dolor artrítico del cuello y de los hombros, previene la rigidez del cuello, la xifósis dorsal (joroba) y dolor en la parte superior de la espalda. Este ejercicio también aumenta su resistencia y aumenta la capacidad pulmonar.

Estire el cuello

1. Coloque su mano izquierda sobre la parte superior de la cabeza, ligeramente hacia el lado derecho. Jale su cabeza hacia la izquierda, estirando el lado derecho de su cuello. Cambie de lado y repita varias veces.

2. Entrelace sus dedos detrás de su cuello. Inhale mientras inclina su cabeza hacia atrás y estira sus codos hacia atrás y hacia arriba.

3. Exhale dejando su cabeza y codos relajarse lentamente hacia adelante. Continúe inhalando arriba y exhalando abajo. Repita los pasos dos y tres al menos otras seis veces.

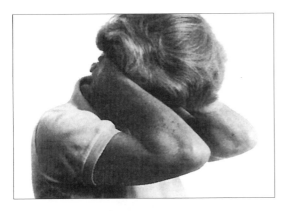

Beneficios: alivia el dolor del cuello y de los hombros, rigidez del cuello, contractura de los hombros y ayuda a mejorar la circulación general. Para asimilar los beneficios de este ejercicio, relájese sobre su espalda con los ojos cerrados por unos minutos después de practicarlos.

PUNTOS DEL CUELLO

Los siguientes puntos de digitopuntura del cuello son buenos para aliviar el dolor y la tensión en el cuello. Aplique un minuto de presión firme a cada uno de los siguientes puntos, tal como se muestra en las fotos. El punto #8 se localiza en la parte superior del cuello, aproximadamente a un dedo pulgar

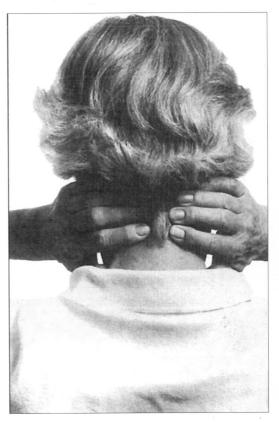

de distancia de la columna vertebral. Para encontrar este punto empiece desde la parte externa de ambos músculos paravertebrales que corren paralelos a la columna vertebral, y presione gradualmente a dos centímetros por debajo de la base del cráneo. Si tiene una tensión severa en esta área encontrará pequeños nudos del tamaño de un chícharo. Presione el punto más rígido de su cuello por tres minutos mientras respira profundamente.

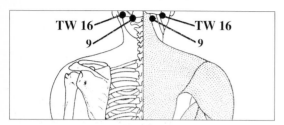

Beneficios: alivia la rigidez que produce la artritis, dolor en el cuello y la espalda, espasmos en el cuello, la garganta, trastornos del sistema nervioso y es especialmente útil en periodos de estrés o postraumáticos.

Punto #9 se localiza debajo de la base del cráneo, en el hueco que se forma entre los dos músculos.

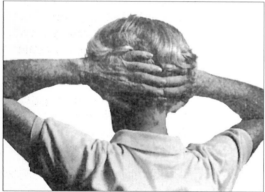

Beneficios: alivia la artritis del cuello así como dolores de cabeza, rigidez del cuello, insomnio, nerviosismo, presiones mentales y trauma.

TW 16[30] se localiza por debajo de la parte externa del cráneo, detrás del lóbulo de la Oreja.
Beneficios: alivia el dolor artrítico del hombro, de espalda, del brazo, rigidez del cuello, dolor de ojos, dolor de oído y abotagamiento.

Presión del cuello

1. Acuéstese sobre la espalda. Junte las manos detrás del cuello.
2. Exhale, y lentamente levante la cabeza del piso, usando los músculos del brazo. La base de las manos deberá presionar firmemente los lados del cuello.

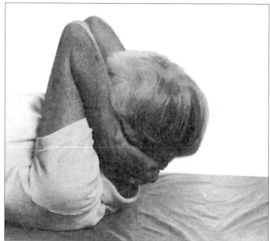

3. Respire profundamente, manteniendo su cabeza arriba y los codos tan juntos como le sea posible por un minuto.
4. Inhale profundamente y mantenga hasta la cuenta de diez, estirando aún más el cuello.
5. Exhale y lentamente baje la cabeza al piso. Relájese con los brazos descansando hacia los lados, los ojos cerrados y descubra los beneficios.

Beneficios: alivia la artritis, las molestias de la garganta, acné, rigidez del cuello, trastornos tiroideos, trastornos mentales, trastornos del habla y dolores en general.

---

[30] Me gustaría señalar una vez más que estas letras y números se refieren al sistema de puntos de acupuntura/acupresión. No necesita conocer ninguno de estos números de referencia para practicar el *Alivio de la artritis con digitopuntura.*

Gire la cabeza

1. Acuéstese sobre la espalda con los brazos y las piernas cómodamente relajados.
2. Permita que su cabeza gire lentamente de lado a lado. Cierre los ojos y sienta cómo se relaja su cuello mientras su cabeza se mueve lentamente.

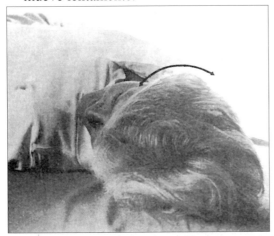

3. Deje que su respiración sea larga y profunda.
4. Continúe este suave movimiento hasta que relaje completamente el cuello.
5. Termine con la cabeza en línea recta con la columna vertebral. Relájese con las manos a los lados por unos cuantos minutos.

Beneficios: alivia el dolor artrítico y la rigidez, equilibra la rabia reprimida, trastornos nerviosos, insomnio, dolor de cabeza, dolor del cuello y depresión. Para un adecuado autotratamiento, practique los ejercicios de cuello descritos en esta sección como una rutina por seis semanas dos o tres veces al día.

Precaución: si tiene alguna lesión reciente en el cuello (esguince), espere a que haya cedido la inflamación del cuello antes de iniciar los ejercicios de auto ayuda, consulte con su médico o con un terapeuta físico antes de hacer los ejercicios.

TÉCNICAS PARA AYUDAR A OTROS

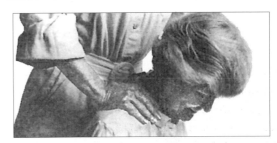

1. Siente a su paciente sobre un cojín o un banco chico. Párese de espaldas al paciente. Coloque sus manos sobre los hombros, cerca a la base del cuello. Lentamente incline el peso de su cuerpo sobre los hombros (músculo trapecio) por treinta segundos. Lentamente libere la presión. Repítalo unas cuantas veces más, moviendo sus manos ligeramente sobre diferentes puntos donde haya tensión muscular.
2. Entrelace sus dedos. Coloque las palmas de sus manos sobre cualquier punto del cuello. Presione firmemente los músculos del cuello por un minuto.

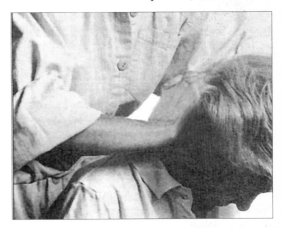

3. Coloque su mano derecha sobre la base del cráneo, la izquierda sobre la frente, e incline la cabeza hacia atrás empujando con su mano izquierda. Presione los puntos que se encuentran debajo de la base del cráneo con su mano derecha, mientras endereza la cabeza por treinta segundos. Luego, gradualmente libere la presión.

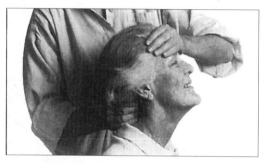

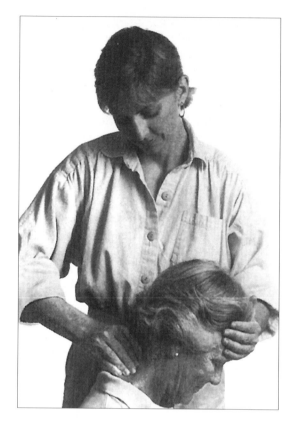

4. Divida el cuello en tres partes: superior, media e inferior. Sentado al lado izquierdo de su paciente, coloque su mano derecha en el cuello con el dedo pulgar al lado izquierdo y los dedos restantes hacia el lado derecho. Empiece en el tercio superior, lentamente trate de unir sus dedos, tratando de prensar el tejido, hasta que con sus dedos sienta el nivel de la tensión muscular. Sostenga este punto por unos cuantos segundos, y luego lentamente libere la presión. Deslice sus manos hacia abajo, cubriendo todas las áreas del cuello. Repítalo tres veces para quienes padecen de tensión en el cuello. Si usted es más alto que su paciente, deberá tener especial cuidado en evitar una presión extrema sobre la vena yugular.

Aconseje a su paciente respirar cuando le practique el masaje en áreas de tensión, para relajar los músculos.

Apoye la cabeza del paciente tomándola de la frente, mientras que con la otra mano trabaja sobre el cuello.

5. Permanezca al lado izquierdo del paciente. Coloque su dedo pulgar sobre el hueco de la base del cráneo. Sostenga la frente con su mano izquierda.

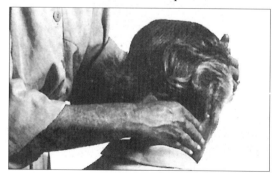

Gire el dedo pulgar en el sentido de las manecillas del reloj, mientras presiona sobre el hueco de la base del cráneo. Gradualmente vaya girando la cabeza. Sostenga firmemente la cabeza en esta posición con ambas manos, favoreciendo que los músculos del cuello de su paciente se relajen mientras lentamente va moviendo la cabeza del paciente en círculos cada vez más amplios.

6. Coloque sus manos en la parte superior de los hombros (unión con el cuello). Cruce su dedo índice sobre el dedo medio ciñéndolo cómodamente sobre el lado izquierdo del cuello. Use su otra mano para mover la cabeza hacia el lado izquierdo como se muestra en la foto. Luego cambie de lado, y mueva lentamente la cabeza hacia el lado derecho. Este movimiento ayuda a estirar los músculos crónicamente tensos que refuerzan los dolores artríticos y las

molestias en el cuello y el hombro. Actúa también sobre los meridianos del intestino delgado y la vesícula biliar, que pueden ayudar a prevenir como aliviar los dolores de cabeza, incluyendo las cefaleas migrañosas. Mueva gradualmente la cabeza hacia ambos lados.

7. Luego, coloque el dorso del puño sobre el hombro, cerca al cuello. Sostenga la frente con su otra mano, doblando la cabeza del paciente hacia atrás y hacia el puño. Mantenga esta posición tal como

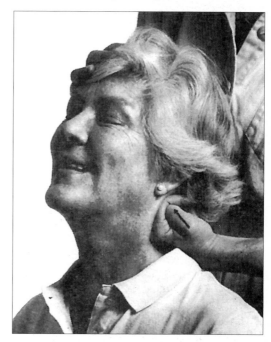

se ilustra aproximadamente diez segundos. Gradualmente libere la presión y repita el movimiento al otro lado. Tanto ésta como la técnica que se describe a continuación es útil para las cefaleas migrañosas. Tenga cuidado en aplicar la presión en forma gradual. Deberá sentirse bien, experimentará algo entre dolor y placer.

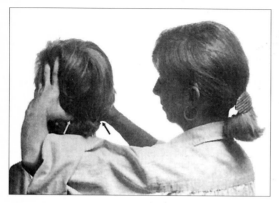

8. Coloque ambos dedos pulgares sobre la base del cráneo. Incline la cabeza del paciente un poco hacia atrás y presione firmemente el punto #9 mientras firmemente extiende la cabeza hacia

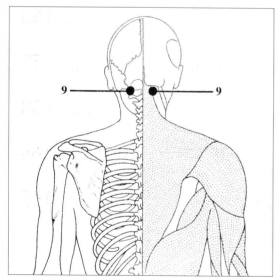

arriba. Los bloqueos en este punto son en muchas ocasiones la causa de dolores de cabeza. En algunas ocasiones se le llama "puerta de la conciencia", pues ayuda a regular las actividades sensoriales y neurológicas del cerebro. Haga que su paciente inhale cuando le eleva la cabeza y que exhale cuando libera la presión.

Meciendo la cabeza

1. Acueste al paciente sobre la espalda. Siéntese detrás de su cabeza y lentamente saque el cabello de debajo del cuello. Masajee los músculos de la parte posterior del cuello, usando todos los dedos para apretar las áreas de tensión. Esta técnica de digitopuntura es mas efectiva cuando la hace lentamente.

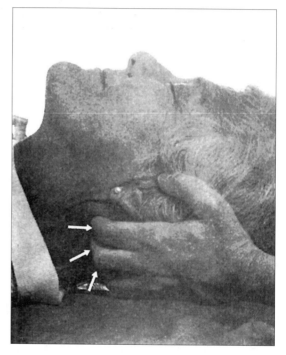

2. Agarre la cabeza con las palmas de sus manos y descanse el dorso de las mismas sobre el piso. Sostenga todo el cráneo con los dedos doblados tirando gradualmente hacia afuera. Gradualmente incline la cabeza, deslizando los dedos sobre la cabeza. Imagine que el contacto de sus manos es una comunicación de amor y apoyo.

DOLOR DE ESPALDA

El dolor de espalda es una de las molestias más frecuentes de nuestra sociedad. Casi todos hemos experimentado tensión, dolor o rigidez en alguna parte de la espalda, y algunas personas han sufrido por años. Los artríticos son aún más vulnerables a los efectos negativos de una mala postura, falta de flexibilidad y estrés, todo lo cual puede producir también dolor de espalda y debilidad.

Es especialmente importante fortalecer los músculos alrededor de la columna vertebral, con el fin de estabilizar las vértebras y de mantener los discos en su lugar. Si esos músculos se encuentran débiles, podría causarse algún daño al nervio ciático, ocasionando dolor severo y entumecimiento a lo largo de las nalgas y de las piernas.

La Acu-Yoga, una combinación de digitopuntura y de ejercicios y técnicas de estiramiento, libera la tensión en forma efectiva y restaura la armonía natural del cuerpo. Trabajar en mejorar su postura, fortalecer y relajar los músculos de su espalda, así como incrementar la flexibilidad en su columna, podrá ayudarle a reducir las molestias de la espalda y finalmente tener un efecto benéfico en su salud general.

Precaución: cualquiera que padezca de problemas en la columna, deberá asegurarse de practicar los ejercicios cuidadosamente y moverse lenta y suavemente de una posición a otra. Ningún ejercicio deberá realizarse en forma violenta o impactante. Ningún ejercicio deberá hacerse esforzándose más allá de sus límites posibles. ¡ESTÍRESE PERO NO SE ESFUERCE! Si aún tiene dudas, consulte a su médico, quiropráctico o terapeuta físico antes de intentar la práctica estos ejercicios, especialmente si ha sido operado de la columna, o tiene severos problemas en los discos.

PLAN DE AUTOTRATAMIENTO

1. Seleccione tres o cuatro ejercicios que se relacionan con su problema, usando el índice o los títulos de los apartados de esta sección.
2. Practique estos ejercicios tres o cuatro veces al día durante una semana. Gradualmente incremente el tiempo que dedica a cada postura.
3. Después de los ejercicios, cúbrase con una manta, y acuéstese sobre su espalda con los ojos cerrados. Respire unas cuantas veces profundamente, y relájese completamente durante diez minutos.

LA PARTE SUPERIOR DE LA ESPALDA

Autoayuda

La parte alta de la espalda es una de las áreas más difíciles de alcanzar con el fin de practicar la digitopuntura. Podrá utilizar una pelota de tenis, de racquetball, o cualquiera de consistencia similar debajo de las áreas sensibles, mientras permanece acostado de espaldas sobre ellas y respira profundamente.

Podrá también solicitar la ayuda de alguien para que le presione los "nudos" de esta área. Estas áreas nudosas, corresponden frecuentemente a los puntos de digitopuntura y pueden estar muy sensibles al primer contacto. Mantenga una firme pero suave presión sobre estos puntos, de uno a cinco minutos, o hasta que cualquier molestia disminuya y los "nudos" empiecen a relajarse y a desaparecer.

Los siguientes puntos de digitopresión en los brazos y las manos, junto con los puntos en la parte alta de la espalda, ayudan con frecuencia a facilitar el alivio.

Puntos activadores

Punto #1 es usado para el alivio de la artritis de la espalda y el cuello, dolor de cabeza, migraña, dolor de dientes, constipación y neuralgia.

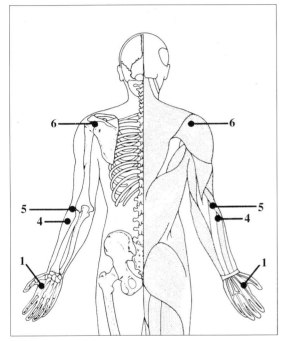

Punto #4 se usa cuando hay espasmos musculares en el brazo o en la parte alta de la espalda, indigestión, rigidez en el cuello y mala circulación.

Punto #5 ayuda a aliviar la constipación, depresión, dolor en la parte alta de la espalda y dolor intercostal.

Punto #6[31] alivia el dolor en la parte alta de la espalda (tradicionalmente este punto ha sido usado para la hipertensión arterial, insomnio, ansiedad, nerviosismo, dolor del brazo, entumecimiento y manos frías).

---

[31] Los números de estos puntos sólo se usan como referencia. No necesita conocerlos para practicar lo ejercicios de Alivio de la artritis con digitopuntura.

EJERCICIOS PARA LA PARTE ALTA DE LA ESPALDA

Practique los siguientes ejercicios y/o utilice pelotas de tenis para aplicar la presión entre los omóplatos. Cada ejercicio durará dos minutos y la aplicación de la pelota de tenis será de tres minutos. Luego dedique diez minutos para relajarse y respirar profundamente.

Ejercicio inicial para la parte alta de la espalda

Párese con los pies separados, a la distancia de los hombros. Inhale mientras entrelaza los dedos atrás de usted. Exhale cuando se inclina hacia adelante y levanta los brazos sobre su espalda.

Estire sus brazos hacia arriba, moviendo sus omóplatos uno hacia al otro. Inhale mientras suelta los brazos y regresa a la posición inicial. Continúe este ejercicios varias veces.

Beneficios: es un excelente ejercicio para la artritis de la parte alta de la espalda así como para ayudar al control de la hipertensión, tensión en el hombro, problemas en los brazos, manos frías, ansiedad, e insomnio.

Elevación de la pelvis

Acuéstese sobre su espalda con las piernas flexionadas y las plantas de los pies apoyadas sobre el piso. Inhale y levante la pelvis hacia arriba. Exhale y lentamente regrese hacia el piso. Repita el ejercicios varias veces.

Beneficios: este ejercicio de Acu-Yoga no sólo beneficia la columna vertebral y la región pélvica, también en forma efectiva, libera la tensión muscular en los hombros.

LA PARTE DE LA BAJA ESPALDA

Aunque la mayor parte de los problemas de la parte baja de la espalda se relacionan con el estrés, la posición viciada o inadecuada, accidentes o debilidad en la musculatura abdominal, la medicina china tradicional enseña que el dolor en esta parte de la columna se relaciona con la vejiga, riñones y el aparato reproductor.

Los riñones se consideran los tanques de almacenamiento del excedente de energía del cuerpo. Cuando los riñones tienen una abundante reserva de energía, la parte baja de la espalda estará fuerte y flexible. Sin embargo, la deficiencia o debilidad de los riñones como consecuencia "de correr esta energía nerviosa" al comer mucha sal, beber demasiados líquidos o no beber los suficientes, excesiva actividad sexual o miedo excesivo, pueden producir problemas en esta parte de la espalda.

Los siguientes ejercicios de Acu-Yoga le ayudarán a aliviar la tensión y a fortalecer la parte baja de la columna.

Auto Masaje

Estando de pie o sentado en la orilla de una silla, coloque ambos puños a ambos lados de la parte baja de la columna y lenta pero vigorosamente friccione de cien a doscientas veces. Continúe masajeando hacia las nalgas con el dorso de los puños, hasta que sienta calor en la parte que masajea. Practique esta técnica dos o tres veces al día.

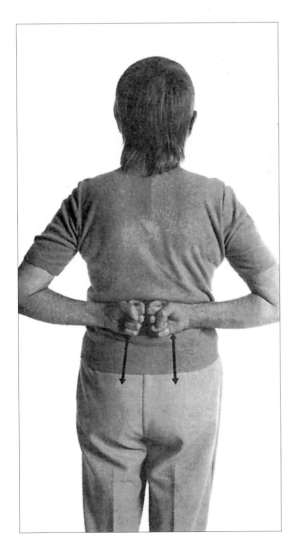

Rotaciones de cadera

Mueva sus caderas en círculo completo. Rote la pelvis varias veces en una dirección y después en la otra. Respire profundamente y disfrute el movimiento.

Beneficios: este ejercicio puede prevenir muchos problemas de esta área de la columna. El movimiento estira los músculos de la pelvis y de la parte baja de la columna. Aquellos que padecen de problemas a este nivel acompañado de tensión y rigidez deberán practicar el ejercicio varias veces al día. Haga los movimientos lentamente sin esforzarse.

Precaución: Si padece de dolor agudo como consecuencia de algún accidente o lesión, no deberá practicar este ejercicio. Consulte a su médico, a un terapeuta físico, sobre dudas individuales acerca de este ejercicio.

Flexión de la espalda

Los siguientes ejercicios estimulan la espina dorsal que se ramifica desde y hacia abajo del cerebro. La espina dorsal está protegida en la columna vertebral por tres capas de membranas y el líquido cerebro espinal que fluye a través de éstas y también a través del cerebro. Los siguientes ejercicios flexionan y extienden la espina hacia adelante y hacia atrás, estirando suavemente los músculos que mantienen las vértebras en su lugar. Esto permite que el líquido cerebro espinal fluya libremente y mejora la condición general de la columna y sus músculos.

1. Siéntese cómodamente en una silla.

2. Coloque sus manos sobre los muslos, con la columna recta.
3. Inhale y arquee su espina empujando lenta y firmemente el pecho hacia afuera.

4. Exhale y permita que su columna se desplome súbitamente hacia adelante. Esto estira la columna en el sentido opuesto. Relaje su cabeza hacia abajo con cada exhalación.

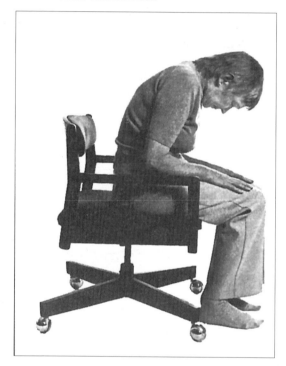

5. Continúe por un minuto. Empiece lenta y gradualmente, sintiendo el movimiento y el estiramiento en su espalda. Gradualmente incremente la velocidad a medida que se afloja la espalda. Respire con cada movimiento, inhalando cuando el pecho empuja hacia afuera y exhalando cuando se desploma repentinamente hacia adelante.
6. Relájese completamente sobre su espalda por unos cuantos minutos.

Beneficios: este ejercicio alivia la rigidez de la espalda, el dolor y otras molestias, indigestión, trastornos nerviosos, problemas posturales y pies fríos.

Flexión de la parte baja de la columna

1. Párese con los pies separados y mirando hacia el frente.
2. Inhale y coloque sus manos sobre la cintura presionando con ambos dedos pulgares la parte baja de la columna.
3. Exhale mientras se inclina lentamente hacia atrás e inhale nuevamente mientras regresa a la posición original.

Exhale mientras deja caer su cuerpo hacia adelante, flexionado, con la frente a la altura de las rodillas. Inhale arriba, exhale abajo.
4. Repita el ejercicio cinco veces.

Beneficios: este ejercicio ayuda a la flexibilidad de la columna y beneficia los riñones. Es excelente para aliviar la fatiga.

Gato vaca

1. Colóquese arrodillado sobre las cuatro extremidades.
2. Inhale cuando la cabeza la extiende hacia atrás y arquea la columna.

3. Exhale cuando incline la cabeza hacia abajo y la columna se arquea hacia arriba. Haga el movimiento rítmicamente.

Beneficios: este ejercicio de flexibilidad ayuda a aliviar el dolor artrítico en la región media e inferior de la espalda, ayuda también a fortalecer los músculos de la parte baja de la espalda y los órganos reproductivos.

Rodillas al pecho

Este es uno de los mejores ejercicios para prevenir y aliviar el dolor en la parte baja de la espalda. Mientras lleva las rodillas flexionadas hacia el pecho, la parte media de la espalda se asienta sobre el piso, presionando los puntos que corresponden a esta área y beneficia a los riñones, los intestinos y al sistema digestivo en general.

1. Acuéstese sobre su espalda. Cómodamente incline su cabeza hacia atrás.
2. Al exhalar, lleve sus rodillas sobre el pecho, usando sus manos para presionar el punto Sp 9, en la cara interna de la pierna, justo abajo del hueso de la rodilla.
3. Lleve las rodillas hacia el pecho con la ayuda de la fuerza de los brazos.

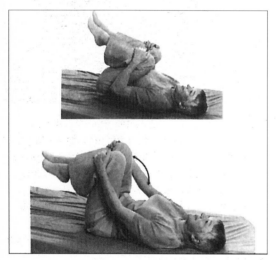

4. Inhale, y estire las piernas nuevamente hacia la posición original, es decir, las rodillas flexionadas con los pies apoyados sobre el piso.
5. Disfrute este movimiento por dos minutos.
6. Respire profundamente desde el abdomen, moviendo la energía hacia el

recto. Sienta cómo se relaja la parte baja de su espalda y se abre el recto con cada respiración.

Beneficios: este ejercicio ayuda a aliviar los dolores de la parte baja de la espalda, rigidez, ciática, constipación, trastornos urinarios, mala digestión, bulimia, eructos, ronquidos y fatiga. La siguiente tabla enlista los puntos de digitopuntura que se estimulan con este ejercicio y cada uno de los beneficios que producen.

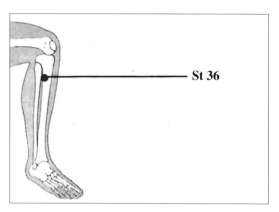

St 36

Punto	Beneficio
Bazo,	Dolores artríticos de la rodilla, edema.
Estómago 36	Indigestión, dolor abdominal, tumefacción.

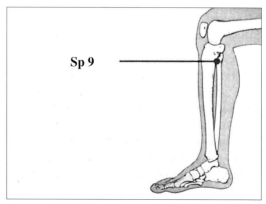

Sp 9

Punto	Beneficio
Vesícula 45	Dolor en la parte media de la espalda, espasmos y distensión abdominal.
Vesícula 21, 22	Dolor en la parte baja de la columna, dolor de estómago, indigestión, dolor abdominal.
Vesícula 25	Artritis en la parte baja de la espalda constipación, flatulencia.

Giro de la parte baja de la espalda

1. Empiece acostado de espaldas con las piernas flexionadas y los pies apoyados sobre el piso.
2. Exhale mientras deja caer sus rodillas hacia la izquierda y voltea la cabeza hacia la derecha.

3. Inhale mientras lleva ambas rodillas nuevamente hacia el centro.
4. Exhale y deje que sus rodillas giren hacia la derecha y voltee la cabeza hacia la izquierda.
5. Repita el ejercicio varias veces, alternando los lados y respirando con el movimiento.

Beneficios: este movimiento lentamente estira la parte baja de la espalda. Ayuda también a reajustar la columna a este nivel.

Precaución: la práctica de este ejercicio no se recomienda cuando hay problemas severos de columna a este nivel, tales como ruptura de disco. Por favor consulte con su ortopedista, quiropráctico o terapeuta físico acerca de dudas individuales.

Mézase y gire

Haga este ejercicio sobre una superficie blanda (colchoneta, alfombra).

1. Lleve sus brazos debajo de los muslos y agárrese las muñecas con las manos.
2. Lleve las rodillas hacia el pecho e inclínese hacia atrás apoyando la barbilla sobre el pecho.

3. Mézase hacia adelante y hacia atrás desde la base de la columna hasta la parte superior de los hombros. Utilice el peso de sus piernas para impulsar el cuerpo hacia adelante y hacia atrás. Inhale cuando va hacia arriba y exhale cuando va hacia abajo.

Beneficios: mecerse sobre la espalda de esta forma trabaja sobre los 94 puntos tradicionales de digitopuntura de la espalda. Intente mecerse de esta forma por un minuto para aliviar el dolor de espalda, tensión y fatiga. Inmediatamente después de hacer este ejercicio relájese sobre la espalda con los ojos cerrados por unos cuantos minutos para incrementar los beneficios.

ALIVIO DEL DOLOR SEVERO EN LA PARTE BAJA DE LA ESPALDA

Si tiene dolor severo en la parte baja de la espalda, siga las instrucciones de Acu-Yoga aplanando la parte baja y calentando las partes vitales. Gradualmente trabaje los ejercicios que se presentan en esta sección, que son útiles para dolores bajos de la espalda, rigidez y tensión. No olvide respirar profundamente como se indicó.

Piernas en la silla

1. Acuéstese sobre la espalda, con las piernas sobre una silla y las rodillas flexionadas. Para un alivio máximo deberá relajarse estando en esta posición de diez a quince minutos, respirando lenta y profundamente sin mover la columna.

2. Después, descanse sobre un costado y doble las rodillas hacia el pecho hasta que se haya relajado completamente de diez a quince minutos. Las compresas calientes son útiles para relajar los espasmos musculares y mejorar la circulación.

Sugerencia: alternar entre compresas frías y calientes es útil para relajar la musculatura contraída y mejorar la circulación. Visite a su médico o quiropráctico para recibir consejo individual.

Aplanando la parte baja de la espalda

1. Acuéstese sobre la espalda con las piernas dobladas y los pies apoyados sobre el piso.
2. Inhale, luego exhale contrayendo las nalgas y empujando el abdomen hacia adentro, de tal manera que la parte baja de la columna se adhiera al piso. Repítalo varias veces.

Beneficios: este ejercicio aplana y estira la parte baja de la columna para ayudar al alivio de la artritis a este nivel. Es excelente para prevenir el dolor en esta región siempre y cuando no haya problemas degenerativos de los discos lumbares.

Reconfortando las partes vitales

1. Acuéstese sobre la espalda con las rodillas flexionadas y los pies sobre el piso. Coloque una mano sobre la otra y descanse el sacro sobre ambas. Respire profundamente hasta el abdomen por un minuto.

2. Relájese profundamente con las manos a los lados y los ojos cerrados para descubrir los beneficios.

EJERCICIOS DE FORTALECIMIENTO ABDOMINAL

Es importante fortalecer los músculos abdominales con el fin de estabilizar la columna. Cuando una persona con molestias en la espalda empieza a tonificar y fortalecer la musculatura abdominal, sentirá un alivio general de la parte baja de la espalda. Procure practicar regularmente algunos de los siguientes ejercicios, lentamente e incrementando poco a poco el tiempo que dedica a cada uno de ellos.

Nadar

Nadar es excelente para fortalecer los músculos abdominales en forma natural y disminuir la "panza". La brazada de costado y el nado libre son excelentes ejercicios aeróbicos que favorecen el fortalecimiento de los músculos de la parte baja de la espalda. No es recomendable que aquellos que padecen de la columna lumbar usen tabla de flotar para nadar, pues al hacerlo se acentúa la curvatura de la columna a ese nivel.

Simule que nada
(patalee lentamente)

1. Acuéstese boca abajo sobre una superficie dura y con una almohada bajo el abdomen.
2. Las manos podrán estar a los lados o dobladas cómodamente cerca de su cara. Los pies deberán permanecer juntos.
3. Coloque la barbilla o la frente sobre el piso.
4. Inhale y levante una pierna, exhale mientras la baja lentamente.
5. Una vez más inhale y levante la otra pierna.
6. Continúe alternando piernas, inhalando arriba y exhalando abajo por uno o dos minutos. Luego relájese completamente con los ojos cerrados, mientras respira profundamente hasta el abdomen para descubrir los beneficios.

Abdominales especiales para la parte baja Semana de la espalda

La siguiente es una serie de ejercicios progresivos para fortalecimiento abdominal. Cada uno deberá practicarse diariamente por una semana. Empiece con el más sencillo la primera semana y avance cada semana hacia uno más difícil.

Precaución: cuando haga este ejercicio no intente sentarse rápidamente, ni haga movimientos bruscos o abruptos.

Semana I

1. Siéntese con las rodillas dobladas, los pies juntos y apoyados sobre el piso.

2. Coloque una toalla debajo de los muslos y agárrese a los extremos de la misma. Si no tiene disponible una toalla agárrese de las rodillas.
3. Lentamente gire hacia atrás, hasta que se encuentre a 45 grados del piso e inhale profundamente. Sostenga la posición unos cuantos segundos.
4. Exhale y siéntese nuevamente. Repita el ejercicio varias veces hasta que se sienta cansado.

Semana II

Practique el mismo ejercicio de la semana I, excepto que no deberá sostenerse con las manos. Deje sus brazos relajados a los lados mientras inhala hacia atrás en ángulo de 45 grados y exhale en la posición vertical.

Semana III

Practique los abdominales con las manos entrelazadas detrás de su cabeza. Repítalo hasta que se sienta fatigado.

El puente

1. Acuéstese sobre la espalda.
2. Coloque la planta de los pies apoyada sobre el piso.
3. Coloque los brazos sobre la cabeza y relájelos.

4. Inhale y arquee la pelvis hacia arriba. Sostenga unos cuantos segundos.
5. Exhale mientras desciende lentamente hasta el piso.
6. Relájese sobre la espalda con los Ojos cerrados por unos cuantos minutos.

DOLOR DE RODILLA, CADERA Y CIÁTICA

La artritis de la cadera y la rodilla son particularmente dolorosas, ya que estas articulaciones sostienen el peso del tronco. Sise para sobre un pie, el peso del tronco, menos el peso de la pierna sobre la cual se para, estaría descansando sobre la articulación de la cadera y la rodilla. Cuando corre o camina, la rodilla y la cadera absorben varias veces la fuerza del peso del cuerpo, es decir, su peso en kilos. Cuando se añade la artritis al estrés y esfuerzo de estas articulaciones, frecuentemente otros músculos alrededor se esfuerzan y contraen, resultando en una ciática o dolor y molestias en la espalda.

La ciática se refiere al dolor que corre a lo largo de la parte posterior de la pierna, empezando en la cadera o la nalga, y desciende por el muslo –cara posterior o lateral–. Este dolor puede extenderse hasta debajo de la rodilla y llegar hasta el tobillo o el pie. El dolor de la ciática puede ser tan intenso que puede inmovilizar a quienes lo padecen. Caminar o moverse de determinadas maneras puede ser doloroso. Algunos sienten entumecidas algunas áreas o dolor en la parte baja de la espalda. El dolor de ciática puede producirse y agravarse por la artritis o la disminución de la motilidad de la pelvis, rigidez en la parte baja de la espalda, lesiones en la parte baja de la espalda que lesionen los discos a nivel lumbar, o bien por una mala alineación de las vértebras sacroilíacas.

Algunos ejercicios ayudan a mantener la longitud de los músculos, haciéndolos más eficientes y fuertes que los músculos que se han acortado. Una caminata vigorosa mientras balancea los brazos a los lados es uno de los mejores ejercicios para estirar y fortalecer los músculos de apoyo de las articulaciones de sostén. Los artríticos tienden a caminar lentamente, pero la marcha lenta aunque se haga por largos momentos ejercita tan efectivamente los músculos como la caminata vigorosa, en la cual éstos trabajan a su máxima capacidad, tampoco permite que se realice la máxima fuerza que ejerce el peso sobre los músculos de los artríticos conducen a una disminución de la actividad y la motilidad, los ejercicios de auto cuidado descritos en esta sección pueden ser extremadamente útiles para las piernas y la región pélvica.

CAUSAS DEL DOLOR DE ESPALDA, CADERA Y CIÁTICA

La tensión muscular y los espasmos en la parte baja de la espalda y la pelvis pueden ser una fuente directa de dolor de ciática, cadera y parte baja de la espalda. Apróximadamente 36 músculos sostienen la pelvis, actuando juntos para estabilizar la unión de la pelvis con la columna vertebral. Cuando estos músculos están tensos o están crónicamente rígidos, los nervios espinales de la región lumbar pueden comprimirse, bloqueando la circulación y eventualmente contribuyen a producir problemas en los discos y ciática. Las siguientes son algunas de las condiciones que pueden contribuir a la tensión en la pelvis y causar dolor en la cadera.

Ropa apretada: la moda influye notablemente sobre nosotros, desgraciadamente, algunas de las tendencias actuales atentan contra la salud. Por ejemplo, está de moda ser delgados. Cuando la gente se aprieta o sume el abdomen con el ánimo de parecer delgados y estar dentro del "ideal" de la moda, una importante tensión se ejerce sobre la pélvis y el abdomen. Los pantalones, y en general la ropa apretada se añaden al problema. El resultado es tensión, disminución de la flexibilidad y del movimiento de la pelvis, así como de deterioro en el funcionamiento de los órganos pélvicos.

Mala postura y pérdida del movimiento: la pelvis está diseñada para moverse en todas las direcciones. Una vida sedentaria en la cual sentarse frente a escritorios, en un carro o estar de pie en una fila, son rutinas comunes, estanca el cuerpo pues éste pierde la oportunidad de moverse y estirarse. Esta pérdida del movimiento se convierte en un patrón permanente, crece la tensión y el cuerpo se va haciendo más y más rígido y congestionado. En consecuencia, la postura sufre, pues el esqueleto pierde su alineación.

Podrá ver que tan común es este problema observando qué tan poca gente tiene una adecuada y firme posición, y cuántos tienen sus rodillas echadas hacia atrás, la pelvis hacia atrás (produciendo lordosis) y los hombros echados hacia adelante. Bajo la influencia de estas malas posturas, la pelvis se hace rígida, casi en una sola posición. Esto afecta la circulación, debilita la función sexual y puede producir constipación, lumbago y ciática.

Tensión del pecho y el hombro: hay una relación directa entre la tensión en la parte alta y baja de la columna vertebral. Cuando alguna porción está fuera del alineamiento adecuado, se compensa, produciendo mayor tensión en la otra, de modo que después se produce tensión en toda el área y pérdida del alineamiento en ambas partes. Ya que la mayoría de la gente es más consciente de la tensión en los hombros que en la pelvis, es importante trabajar en la pelvis para cultivar la capacidad de reconocer la tensión que se concentra allí.

La profundidad de la respiración es un barómetro para la artritis en la pelvis y la tensión. La respiración no podrá ser completa y profunda si hay tensión en el pecho o en las regiones abdominal y pélvica.

Asociaciones emocionales: la pelvis también ha sido considerada como la puerta al abdomen, donde experimentamos nuestros "sentimientos viscerales". La tensión abdominal puede bloquear estos sentimientos, perdiendo así el contacto con nuestras verdaderas necesidades y deseos. Nuestras emociones y su expresión están inhibidas por la tensión y la represión. Esto, por supuesto, resulta en frustración, pues sin importar lo que hagamos nuestras necesidades más profundas permanecen ocultas. Mucha gente está encantada con esta frustración. Las "gratificaciones" sustitutivas que buscan con el ánimo de aliviar la frustración, son usualmente hábitos destructivos como fumar, beber, comer en exceso, comer exclusivamente alimentos chatarra, sólo por el sabor o la sensación. Estos hábitos no sólo no satisfacen a la persona, sino que también debilitan e intoxican al cuerpo, haciendo que la verdadera satisfacción de salud y bienestar sea más escurridiza.

Idealmente, la tensión pélvica y sus emociones asociadas, se liberan gradualmente en forma balanceada. Liberar la tensión pélvica puede permitir la liberación de la ansiedad, la tensión, preocupación, miedo y a experimentar una mayor gratificación interna que facilite ir siempre hacia adelante en la vida.

ALIVIE EL DOLOR ARTRÍTICO DE LA RODILLA, CADERA Y CIÁTICA

La digitopuntura junto con ejercicios de estiramiento, es efectivo para aliviar y prevenir tanto la artritis de la cadera como la ciática. Los movimientos pélvicos que lentamente estiran la parte baja de la espalda y los músculos de la nalga, complementan el alto beneficio terapéutico de la digitopuntura para aliviar el dolor de la ciática.

Uno de mis clientes que tenía problemas con dolor de cadera, relató que obtuvo un gran alivio de su dolor del nervio ciático con la digitopuntura. Su dolor era tan agudo que no podía acostarse y tenía que apoyarse en la noche con almohadas. Me concentré en presionar los puntos de las nalgas y la parte baja de la espalda, así como estirar la pierna lentamente para aumentar la flexibilidad. Una serie de cuatro sesiones de digitopuntura en un periodo de diez días alivió el punto sensible y el agobiante dolor que tuvo por meses. Desafortunadamente, esta cliente no se ejercitó ni practicó sus ejercicios de auto cuidado para continuar con el éxito de las sesiones de digitopuntura, y en consecuencia, sufrió una recaída de su dolor semanas después. Aunque ella no trabajó personalmente para aliviar su dolor, ahora tiene la seguridad de saber que las sesiones profesionales de digitopuntura pueden aliviar nuevamente su dolor.

Los siguientes ejercicios de digitopuntura ayudan a prevenir la ciática. Para mejores resultados deberán practicarse dos veces al día. Si tiene dolor de ciática o problemas de discos en la parte baja de la espalda evite el siguiente ejercicio. Las rotaciones de la cadera pueden agravar su dolor, aunque son beneficiosas para prevenir el dolor de la ciática y de la parte baja de la espalda. Si padece de ciática haga los siguientes ejercicios lentamente, con los ojos cerrados, para aumentar su conocimiento. No exceda sus límites. Asegúrese de respirar profundamente.

EJERCICIOS

Rotación de la cadera

1. Párese con los pies cómodamente separados.

2. Coloque ambas manos sobre la cadera y sosténgala con la punta de los dedos.
3. Con las rodillas levemente flexionadas mueva su cadera en círculos completos. Rote su pelvis varias veces en una dirección y luego en la otra. Respire profundamente y disfrute el movimiento.

Estírese haciendo el cuatro

1. Apóyese sobre el respaldo de una silla mientras se para sobre el pie izquierdo.
2. Doble su pierna derecha y agarre el tobillo con su mano izquierda. Firmemente hale su tobillo hacia las nalgas y sostenga el cuatro por cinco a diez segundos. Repítalo con la otra pierna.

Balanceo de la pierna

1. Párese cerca a una silla y coloque su mano izquierda en el respaldo de la misma.

2. Descargue todo el peso de su cuerpo sobre su pie izquierdo y balancee su pierna derecha libremente hacia adelante y hacia atrás como un péndulo. Asegúrese de no balancear la pierna hacia los lados, pues aumentará el esfuerzo sobre su cadera.
3. Después de 30 segundos cambie de lado y balancee la otra pierna. El propósito de este ejercicio es el de promover una mayor circulación y movimiento a la articulación de la cadera.

Levante las piernas
Para fortalecer la parte baja de la espalda[32]

El siguiente ejercicio de Acu-Yoga trabaja sobre los puntos de digitopuntura en el área pélvica y puede aumentar el suplemento sanguíneo de la ingle, así como aliviar el dolor artrítico en la articulación de la cadera. Es un excelente ejemplo de cómo las posturas yogui utilizan la digitopuntura, ya que la presión es directamente aplicada a áreas específicas de la ingle.

1. Coloque una o dos almohadas debajo del abdomen mientras se acuesta boca abajo. Las almohadas ayudan a prevenir que la parte baja de la espalda se arquee demasiado.
2. Empuñe las manos y colóquelas en el área inguinal con la frente o la barbilla descansando sobre el piso.
3. Inhale y levante una pierna y exhale mientras la baja.

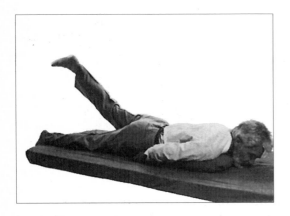

4. Inhale levantando su otra pierna y exhale mientras la baja.
5. Continúe alternando piernas por un minuto.
6. Relájese y cierre los ojos mientras respira profundamente.

Beneficios: alivia la artritis en la articulación de la cadera, mejora la postura, la eliminación, la digestión, fortalece el sistema inmune, el bazo y el páncreas. Alivia la indigestión, la flatulencia, reumatismo, mala circulación y los pies fríos.

Limpiaparabrisas
Para la artritis de la pierna y la rodilla

1. Acuéstese cómodamente sobre su espalda con las piernas separadas a la distancia de los hombros, gire sus piernas hacia adentro y hacia afuera, juntando los dedos gordos del pie y luego separándolos.

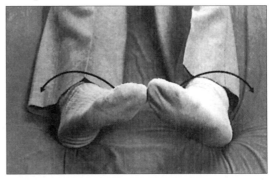

2. Continúe girando los pies por un minuto para aumentar la circulación en los pies y las piernas.

Importante: después de practicar estas técnicas, relájese por espacio de cinco a diez minutos, acostado de espaldas y con los ojos cerrados. Recuerde que la relajación aumenta los beneficios.

---

[32] *Advertencia:* Las personas que padecen dolor de espalda o debilidad no deben practicar este ejercicio, a no ser que sea recomendado por su médico, quiropráctico o terapeuta físico.

AUTO DIGITOPUNTURA

Para la artritis de la cadera y la parte baja de la espalda.

1. Gire sobre su costado. Coloque el puño o una pelota de tenis debajo de la nalga.

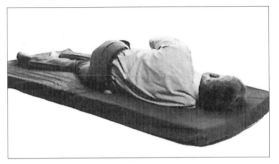

Esto presionará el punto de digitopuntura (GB 30) en el centro de la nalga para aliviar la ciática. La presión en este punto creará "un dolor agradable". Cierre los ojos y respire profundamente por varios minutos.

2. Acuéstese de espaldas. Coloque ambos puños debajo de la parte baja de su espalda de manera que los nudillos queden debajo de los puntos más rígidos de los músculos de la espalda. Respire profundamente en esta posición, por un minuto, con los ojos cerrados. Reajuste la presión de acuerdo a la disminución de las molestias y el dolor presionando otros puntos dolorosos del área.

3. Gire hacia el otro lado y repita el paso 1.

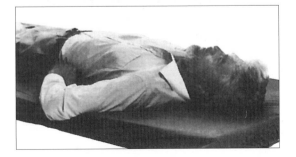

PUNTOS DE ALIVIO DE LA ARTRITIS[33]

GB 34 es un punto relajante muscular localizado en la parte externa de la pierna, debajo y frente a la cabeza del peroné.
GB 40 se localiza en la hendidura frente a la parte externa del tobillo.

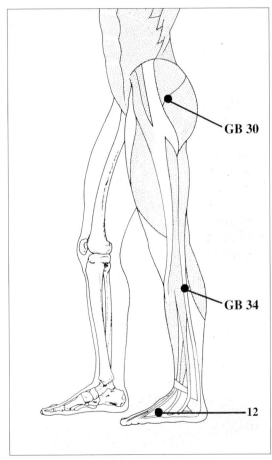

Punto #12 se localiza entre el cuarto y quinto metatarsial, debajo de la coyuntura de ambos huesos, localizada sobre el empeine.

---

[33] Estos numeros se refieren al sistema de puntos de acupuntura/acupresión del cuerpo. No necesita conocer ninguno de estos números de referencia para practicar el *Alivio de la artritis con digitopuntura.*

ALIVIO DEL DOLOR ARTRÍTICO DE LA RODILLA

1. Sentado en una silla extienda una pierna,Puntos para aliviar el dolor de la rodilla de tal manera que el pie quede a la altura de la cadera.

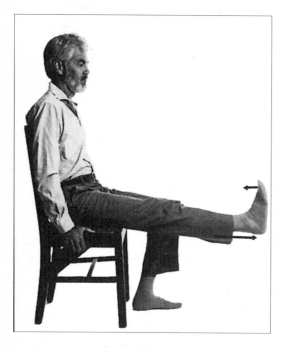

2. Respire profundo unas cuantas veces mientras flexiona el dedo gordo hacia usted y empuja el talón hacia afuera. Esto estirará, probablemente fortalecerá el músculo cuádriceps y aliviará el dolor en la rodilla.
3. Cambie de pierna. El músculo tenso deberá sentirse duro al levantar la pierna al nivel de la cadera.

Sugerencia: este ejercicio es excelente para practicarlo varias veces durante el día. Inténtelo también estando en la cama, tanto en la mañana antes de levantarse como en la noche al acostarse. Simplemente extienda sus piernas, respire profundamente flexione los dedos y empuje los talones hacia afuera.

Puntos para aliviar el dolor de la rodilla

Aplique compresas de agua caliente usando toallas gruesas, hasta que el calor penetre la articulación de la rodilla. Durante varias semanas consecutivas, masajee las rodillas tres veces al día usando los siguientes métodos y puntos. Procure no esforzar demasiado sus rodillas durante este tiempo (por ejemplo evite subir escaleras) para darle a su rodilla el descanso necesario que favorezca la curación.

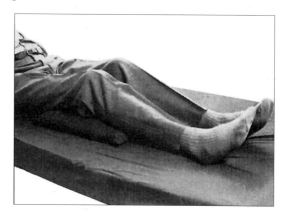

1. Siéntese sobre un tapete o sobre la cama con la espalda apoyada y las piernas estiradas hacia el frente. Coloque una pelota de tenis en el centro del pliegue detrás de sus rodillas. Esto presionará el punto B 54, un buen punto para aliviar la ciática y el dolor de la rodilla y la espalda. Si coloca una almohada debajo de la pelota de tenis, impedirá que la bola ruede y apoyará cómodamente las rodillas flexionadas.
2. Presione firmemente o frote vigorosamente los siguientes puntos

mientras la pelota de tenis está ubicada en el centro del pliegue detrás de la rodilla.[34]

Lv 8 se ubica en la parte interna de la articulación de la rodilla cuando ésta se encuentra flexionada.
B 53 se encuentra en la parte externa del pliegue detrás de la rodilla.

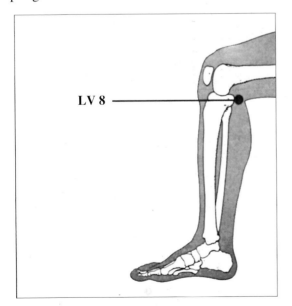

K 1 Se localiza en el centro de la planta de los pies.
St 35 en la hendidura entre la rótula y la tibia cuando la rodilla está flexionada.

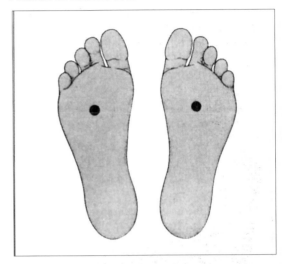

St 36 se localiza en la parte exterior de la pantorrilla, cinco dedos abajo de la rodilla, a media pulgada de la tibia.

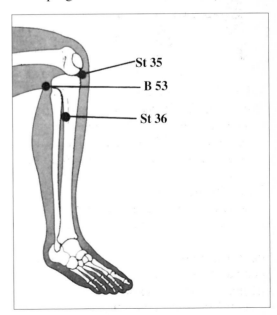

---

[34] No frote su pierna si tiene un coágulo.

Puntos para el edema

El edema es una condición generalizada o localizada en la cual el tejido del cuerpo contiene una excesiva cantidad de líquido. Se produce por un aumento en la permeabilidad capilar y/o por aumento en la presión de los capilares. Los dos siguientes puntos de digitopuntura son especialmente benéficos para balancear la inflamación y el dolor de las piernas y rodillas.

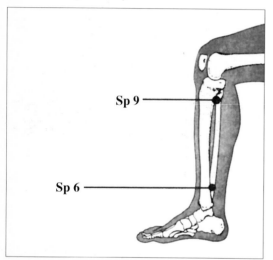

Sp 6 se encuentra aproximadamente cuatro dedos arriba del tobillo interno; en el borde posterior de la tibia.

Sp 9 se localiza en la parte externa de la pierna debajo de la rodilla (bajo la meseta tibial). Presione sobre la protuberancia del hueso, angulando la presión hacia arriba.

Cuidado de los pacientes: estimule los puntos

Beneficios: los derrames sinoviales en la rodilla, tobillos hinchados, la distensión abdominal, mala circulación, pies fríos, la diabetes, fatiga extrema, debilidad, irregularidades menstruales y problemas de rodilla.

TÉCNICAS PARA AYUDAR A OTROS CON CIÁTICA, DOLOR EN LA PARTE BAJA DE LA ESPALDA, CADERA Y RODILLA

Primero deberá visitar a un médico para una completa exploración física y diagnóstico, ya que los problemas de columna, el cáncer y la diabetes comparten muchos síntomas. Sin embargo, si su problema de ciática es el resultado de una pequeña desalineación, espasmos musculares o a una deformidad de la columna debida a la edad, entonces usted se beneficiará de algunas sesiones de digitopuntura seguidas de una siesta o de una profunda relajación.

Con el paciente acostado boca abajo:

1. Aplique compresas calientes (preferiblemente usando ginger ale)[35] sobre la región lumbar y sacra. Use dos toallas gruesas y altérnelas para mantenerlas constantemente calientes (a una temperatura soportable).

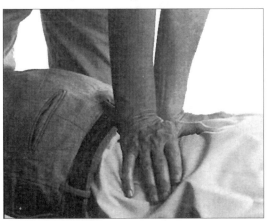

2. Coloque sus manos sobre la parte baja de la espalda y sobre las nalgas, descargue el peso de su cuerpo sobre los puntos #10 y B 48 para aplicar presión durante un minuto en cada uno.

3. Con los dedos pulgares, aplique presión gradualmente por espacio de cinco segundos en cada uno de los puntos de la parte baja de la espalda y del sacro, tal como se ilustra.[36]

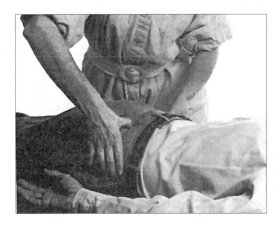

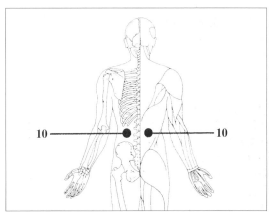

---

[35] Consultar la página 201 en el capitulo *Artículos de autoayuda,* para instrucciones específicas sobre cómo preparar compresas de jengibre.
[36] Si el paciente es muy sensible a la acupresión, o si la ciática es crónica, entonces trate de estimular los mismos puntos con calor proporcionado por una secadora manual.

4. Nuevamente use las palmas de las manos y recargue el peso de su cuerpo para aplicar presión al centro de la parte posterior de la pierna.[37] Empiece en el pliegue de unión de las nalgas y los muslos y descienda centímetro a centímetro hacia los tobillos.

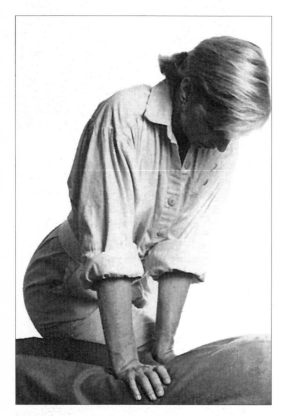

5. Regrese sobre la misma área detrás de la pierna, pero esta vez use los dedos pulgares, especialmente sobre los puntos específicos que se ilustran.

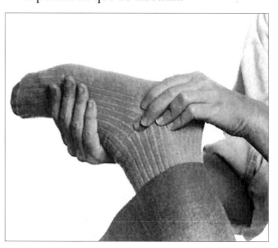

6. Apriete los tobillos y presione el punto GB 40 en el hueco que se encuentra frente al tobillo externo.

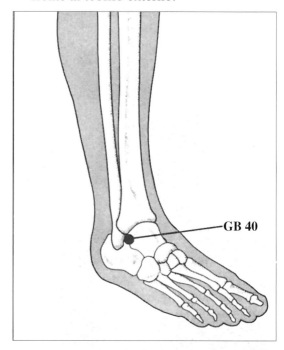

---

[37] Tenga cuidado de no oprimir la rótula contra el piso, al presionar la parte posterior de la rodilla.

Con el paciente acostado sobre su espalda:

7. Arrodíllese cerca de la parte externa al muslo derecho de su paciente. Coloque su mano izquierda debajo de la rodilla del paciente para levantarlo y sostenga el pie del paciente con su mano derecha.

8. Gradualmente lleve la rodilla hacia la barbilla. Pídale a su paciente que respire profundo y prolongado mientras usted gira la rodilla en círculos muy lentamente. Primero en una dirección, luego en la otra. Empiece con pequeños movimientos, luego, gradualmente, aumente el tamaño de los círculos.

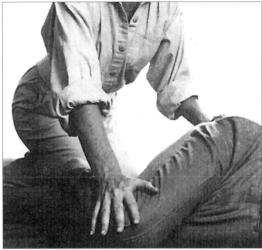

9. Termine el movimiento llevando la rodilla derecha sobre la izquierda del paciente para girar y estirar la parte baja de la espalda. No haga movimientos bruscos ni rápidos.

10. Estire lentamente los músculos de las caderas y la parte baja de la espalda y luego baje la pierna derecha al piso. Repita la rotación al lado izquierdo, repitiendo entre tres y cinco veces por minuto en cada lado.

11. Finalice la sesión apretando los dedos de los pies. Sostenga por uno o dos minutos para terminar con un simple método de digitopuntura que balancea ambos lados del cuerpo.

DOLOR
EN EL PIE
Y EL TOBILLO

Es extremadamente importante mantener la flexibilidad en los pies y los tobillos. Dependemos de su flexibilidad para compensar las irregularidades del terreno y para cargar el peso de nuestro cuerpo mientras alternamos de un pie al otro al caminar. Con dolor y rigidez en los pies y los tobillos, tanto pararse como moverse resulta difícil y el cuerpo usualmente se sale de balance. Otro resultado indeseable es el estrés indebido que se localiza en las rodillas y la columna que puede desencadenar una osteoartritis degenerativa.

Los pies, tobillos, rodilla y la cadera se combinan para absorber el impacto de la fuerza cuando caminamos o saltamos. Los dos arcos flexibles del pie transverso (metatarsial) y el arco longitudinal, junto con los músculos del tobillo responden a cada paso que damos.

Anatómicamente, los pies son similares a las manos. En vez de *metacarpos* hay *metatarsos* mucho más largos.

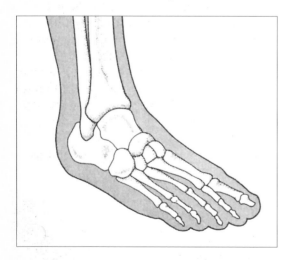

Hay cinco *metatarsiales* que se unen a las falanges de los cinco dedos del pie, formando las articulaciones metatársicas.

En la artritis reumatoide estas articulaciones son vulnerables a la deformación, similar a las que se observan en las articulaciones de las manos. El dedo gordo se inclina hacia los demás perdiendo así la fuerza para sostener el peso del cuerpo en cada paso. Hay varios soportes con los cuales se puede remediar tal situación, sin embargo, el ejercicio y el masaje retardan la necesidad de usar métodos más radicales, mientras incrementan la flexibilidad de los pies.

Una de mis pacientes de más edad, que padecía de artritis en los pies y los tobillos así como en las manos, me dijo que valuaba sus sesiones de digitopuntura en un "millón de dólares". Ya que ella vivía lejos, sólo podía verme ocasionalmente. Su tobillo se había inflamado tenía dolor en el empeine que se extendía hasta algunos de los dedos del pie. De acuerdo con ella, una sesión de digitopuntura no sólo le aliviaba el dolor sino que conservaba esta sensación de bienestar por tres semanas.

Otra de mis clientes padecía de un dolor sordo y constante en el empeine. El dolor artrítico y la rigidez le dificultaban la deambulación. Utilicé con ella los puntos de digitopuntura localizados sobre el empeine entre los huesos, con un masaje lento pero firme. Luego lentamente, le practiqué ejercicios de estiramiento para aumentar la circulación y la flexibilidad. La presión sobre los puntos descritos en la tabla de reflexología (presentada en este capítulo) también producen tremendo alivio.

La siguiente rutina es una combinación de ejercicio y masaje que ayudan a mantener el pie flexible y fuerte. Ejercitar y masajear los músculos alrededor del tobillo, aseguran una adecuada motricidad y ayuda a prevenir problemas articulares futuros.

Desde hace muchos años los chinos reconocieron la importancia de los pies sobre la salud global del cuerpo. Yo comparto la creencia de que la salud total del esqueleto humano se beneficia cuando los pies se mantienen flexibles. He notado que si experimento dolor en mis pies al caminar –digamos que debido a dolor en el arco transverso–, tiendo a levantar mis hombros y a tensar el cuello.[38]

FORTALECIENDO LOS DEDOS DEL PIE

1. Ejercítelos haciendo fuerza contra resistencia en cada dedo, presionando con los dedos de la mano o cualquier otro objeto.

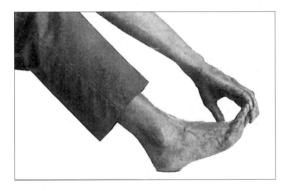

2. Dóblelos sosteniendo un lápiz entre los dedos del pie, o bien agarrando objetos del piso con ellos, empujando en contra de la resistencia.
3. Use sus manos para doblar y extender los dedos hacia arriba, lo más que pueda, con el fin de hacer un buen ejercicio de motilidad.

---

[38] Semyon Krever, *The Arthritis Exercise Book,* Simon & Schuster, 1981.

HIDROTERAPIA PARA LOS PIES

Los baños para los pies con agua caliente están ampliamente recomendados para aquellas personas que padecen de artritis en los pies. El calor incrementa la circulación y ayuda a aliviar la tumefacción. Están recomendados antes de practicar sus ejercicios diarios, de salir a caminar, correr, ir al mandado o salir a cenar. Simplemente permita que sus pies se remojen por espacio de diez o quince minutos. Ocasionalmente podrá utilizar algún producto comercial para baño de los pies como polvos, sales o aceite para baño cuando desee un tratamiento especial.
Precaución: un baño de agua caliente en los pies podrá producirle mareo al levantarse. Por lo tanto levántese lentamente para mantener el equilibrio.

Pies hinchados

Los artríticos frecuentemente tienen edema o exceso de líquido en los pies. Caminar o estar de pie por largos periodos favorece que los pies se hinchen. Estar acostado por largos periodos -por ejemplo en la noche-, puede producir éxtasis del líquido que corte por los linfáticos. La próxima vez que se le hinchen los pies, practique el siguiente ejercicio de vibración y digitopuntura en los puntos de los tobillos.

Sentado en una silla cómoda:

1. Gire los pies sobre la articulación del tobillo primero en una dirección y luego en la otra.

2. Levante un pie del piso y sacúdalo fuertemente de un lado al otro de diez a quince segundos. Repítalo con el otro pie.

3. Levante nuevamente uno de los pies, luego sacúdalo arriba y abajo mientras cuenta hasta diez y luego respira profundamente. Repita el ejercicio con el otro pie.

4. Ahora coloque las puntas de los pies debajo de la silla, las rodillas dobladas. Mantenga los dedos sobre el suelo. Sacuda los tobillos rápidamente, juntándolos y separándolos de veinte a treinta segundos.

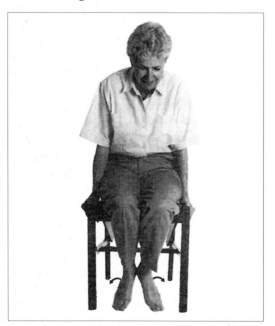

5. Siéntese con las piernas cruzadas, con uno de los tobillos sobre la rodilla opuesta. Presione el punto K 6 (en la parte interna del tobillo) y el B 62 (en la parte externa del tobillo). Se ilustra en la gráfica.

a. Presione este punto por un minuto y luego cambie de posición para que estimule los puntos del otro pie.

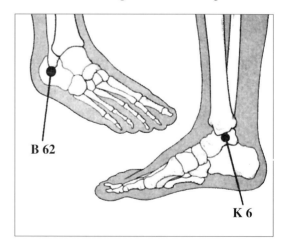

B 62

K 6

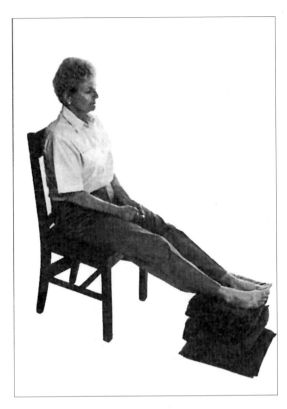

b. Termine con una agradable relajación por varios minutos. Coloque los pies sobre una silla, cierre los ojos y respire profundamente mientras se relaja desde los tobillos hasta los hombros.

REFLEXOLOGÍA DE LOS PIES PARA ALIVIAR LA ARTRITIS

La reflexología, una forma de masaje terapéutico de los pies, puede ser muy útil para aliviar el dolor producido por la artritis no sólo en los pies, sino también en todo el cuerpo. Se basa en el estimulo que se produce en las terminales nerviosas de las plantas de los pies, que dispararán los beneficios a las áreas artríticas correspondientes en el resto del cuerpo. Ya que muchos de los nervios del cuerpo terminan en los pies, se produce un acto reflejo al área particular del cuerpo (donde nace el nervio) cuando el área específica del pie se estimula.

Los puntos usados en reflexología, que pueden auto aplicarse o bien aplicarse a otros, son similares a los puntos de digitopuntura, excepto en que siguen el trayecto neurológico en vez de los corredores bio eléctricos utilizados en la digitopuntura. Algunos puntos importantes de la digitopuntura coinciden con los puntos de reflejos nerviosos usados en reflexología. La efectividad extra en el alivio del dolor se consigue usando estos sistemas manuales de curación.

La cantidad de presión requerida en reflexología varía de persona a persona y de punto a punto. La presión deberá sentirse bien, pero deberá ser los suficientemente firme como para estimular el punto. Si la presión resultara excesiva, libere ligeramente, y presione nuevamente el punto más suavemente y luego, lentamente, presione más fuerte. Para aquellos puntos muy molestos es mejor usar una presión suave pero muy prolongada: toque en vez de presionar. Mientras se presiona el punto, la tensión se irá liberando poco a poco y se irá requiriendo mayor presión. En todo caso, trabaje suave y cuidadosamente para no producir ningún efecto o dolor desagradable.

Aquellas personas que comen alimentos procesados y que no hacen suficiente ejercicio tienen muchos puntos sensibles en sus pies. Esto indica que sus glándulas, órganos y nervios se encuentran en malas condiciones y de que hay bloqueos en el cuerpo. Sea sensible para percibir cómo se siente la presión en los pies y ajuste la presión acorde.

El masaje de los pies es especialmente benéfico para los pacientes artríticos así como para los pacientes mayores, los enfermos y los inválidos. Simplemente se siente bien, relaja y rejuvenece todo el cuerpo. Mejora la circulación de tal manera que los productos tóxicos acumulados en el cuerpo puedan ser liberados, beneficiando la sangre, los órganos y los nervios.

Sus primeras sesiones de reflexología deberán ser de veinte minutos como máximo. Durante la primera semana deberá practicarse un día sí y uno no.

Gradualmente trabaje por más tiempo en las áreas o en los puntos que necesiten más atención, es decir, aquellos puntos más sensibles. Conforme vaya adquiriendo experiencia aprenderá a ajustar la presión y a relacionar los puntos con las áreas del cuerpo correspondientes referidas en las tablas de reflexología.

Una excelente y natural forma de masajear los puntos de reflexología de los pies, es caminar descalzo lo más que pueda. Caminar sobre prado, arena, tierra y empedrados suaves estimulan en forma natural estos puntos y capacitan al organismo para absorber la energía sutil de la tierra. Si las plantas de sus pies son especialmente suaves, es preferible que camine descalzo sobre prado y tierra incrementando el tiempo gradualmente hasta que sus pies se fortalezcan.

Los puntos de reflexología yacen debajo de la piel. Note que el tamaño de los puntos varía, siendo algunos del tamaño de un frijol como el que corresponde al riñón, y otros son tan pequeños como la cabeza de un alfiler. Desarrolle su sensibilidad a estos puntos mediante una práctica atenta.

TABLA DE LOS PUNTOS DE REFLEXOLOGÍA

Cuando hay inflamación o algún desajuste en las áreas del cuerpo, se registrará en el área de los pies correspondiente. Depósitos de calcio cristalizado tienden acumularse sobre las terminales nerviosas donde se localizan estos puntos de reflejo.[39] Presione sobre los puntos para romper y disolver los depósitos. La presión sobre estos puntos produce un adecuado ajuste del área del cuerpo afectada en forma correspondiente.

[39] Kevin y Barbara Kunz, *The Complete Guide for Foot Reflexology.* Prentice Hall Press, 1982.
Nota: Todos los libros Kunz son excelentes. Para mayor información, escriba a: *Reflexology Research Project,* Box 35820, Stn. D., Alburquerque, NM 87176.

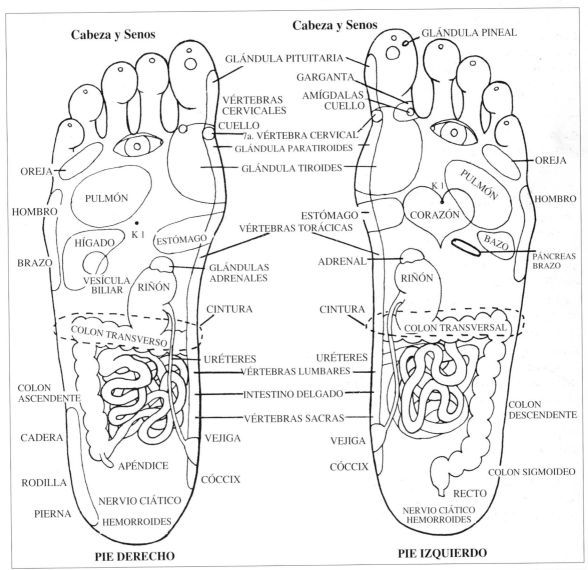

TABLA DE PUNTOS DE DIGITOPUNTURA
Instrucciones para aplicar la presión

Cuando existe algún desajuste en el cuerpo o inflamación en alguna articulación, se registrará en un área del pie correspondiente. Utilice una presión de una a cinco libras en estos puntos. La presión que se aplica en forma gradualmente prolongada es más efectiva para aliviar la artritis en todas las áreas del cuerpo. El masaje o presión aplicada deberá hacerle sentir bien, algo entre dolor y placer.

La siguiente tabla muestra todos los puntos de digitopuntura que se encuentran en el empeine y los lados del pie. Esta referencia le permitirá encontrar estos puntos clave, disparadores del alivio de la artritis. Explore estos puntos mientras practica las instrucciones y sugerencias de masaje que se describen a continuación.

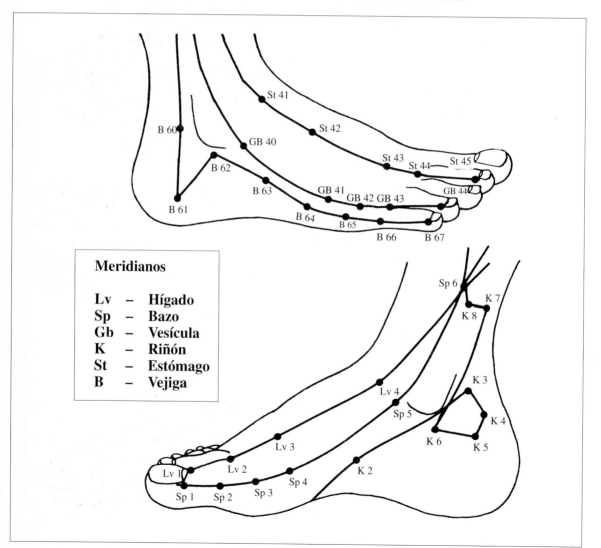

TÉCNICAS DE AUTOMASAJE

Sugerencias para el masaje de los pies

- *Trabaje con un instrumento,* como una semilla de aguacate o una pelota de golf, especialmente si padece de artritis en las manos. Mantenga las uñas de las manos cortas.

- *Cierre los ojos* para relajarse mejor y descubrir los beneficios mientras se da usted mismo un masaje en los pies.

- *Evite la distracción* cuando sea posible. Ajuste la luz para que la intensidad no resulte muy brillante e intensa y asegúrese de estar cómodo y tibio.

- *Libere la presión* en las áreas más sensibles o dolorosas, presiónelas por un tiempo más prolongado para eliminar el dolor y promover la curación.

- *Respire profundamente* en vez de estresarse y tensarse cuando algún punto sea especialmente sensible al tacto.

- *Concéntrese* en lo que está haciendo. Mantenga su atención centrada sobre los signos de su cuerpo en el momento del masaje.

Instrucciones para el masaje de los pies

Las siguientes instrucciones de auto masaje también pueden aplicarse a otros. Trabaje cada pie por separado.

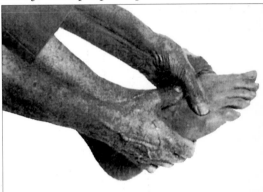

1. Frote y apriete su pie con los dedos y la palma de la mano. Masajee todo el pie. Es especialmente bueno para aliviar la fatiga así como dolores generales y molestias.

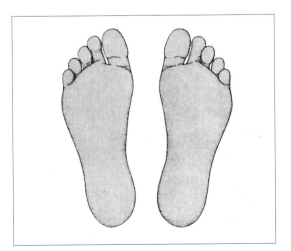

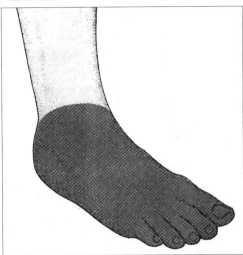

2. Presione los puntos del arco con los dedos pulgares o los nudillos, empezando cerca al talón y trabajando en dirección al dedo gordo. Esto estimula los reflejos de la columna para ayudar a aliviar el dolor producido por la artritis en la espalda.

3. Cuando alcance la base del dedo gordo, frote y presione esta área con movimientos circulares, describiendo un movimiento del tamaño de una almendra. Afecta el estómago y la glándula tiroides.

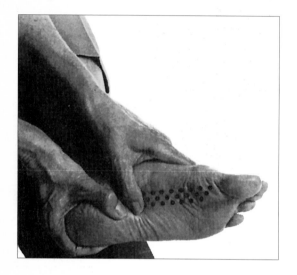

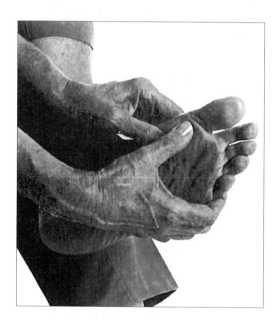

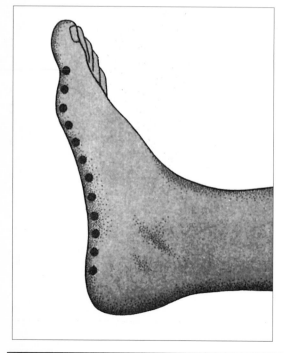

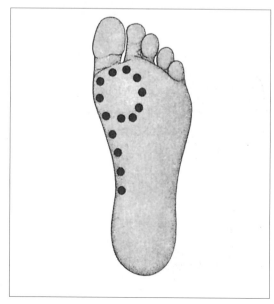

4. Luego masajee bien los otros dedos, presionando los puntos correspondientes al cuello y el cerebro. Pellizque suavemente el tejido entre los dedos del pie. Presionar la base de los dedos es útil para aliviar el dolor de la artritis del cuello. Estimula reflejos a los ojos, garganta, y parte posterior de la cabeza para aliviar los dolores de cabeza y la congestión.

5. Con la ayuda de los dedos de la mano dé masaje y presione la planta del pie. Cubra esta área en forma sistemática donde se localizan todos los reflejos correspondientes a los órganos internos.

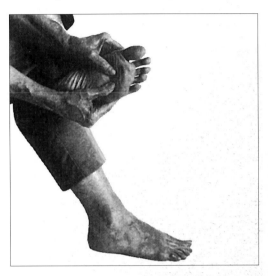

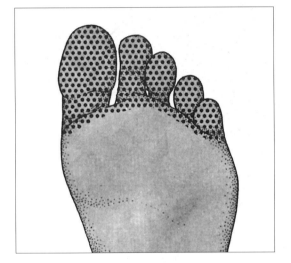

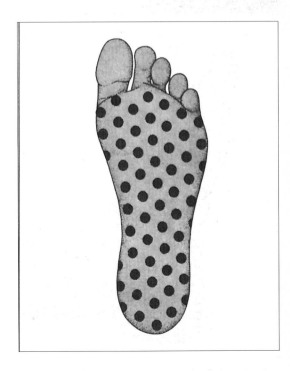

6a. Masajee y pellizque las caras laterales del pie. Esta área representa las articulaciones y por lo tanto es especialmente buena para aliviar el dolor y las molestias que produce la artritis.

6b. Ahora presione entre los huesos que se encuentran en el empeine. Los puntos sensibles que encuentre aquí, corresponden a las articulaciones de las manos y los pies.

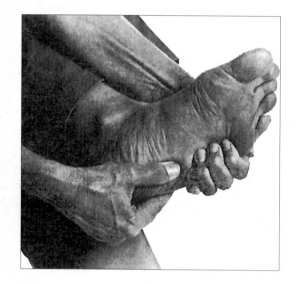

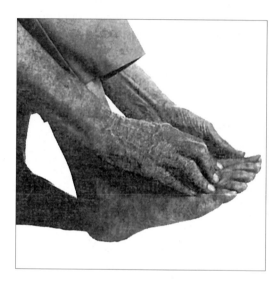

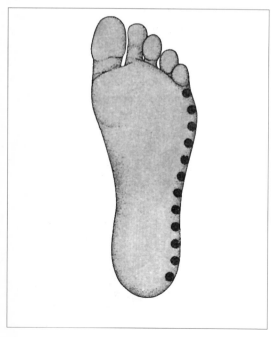

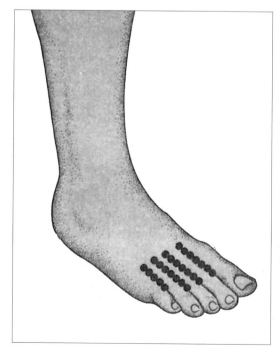

7a. Luego, trabaje en las partes interna y externa del talón. Pellizque y presione las entradas y salidas del talón, tobillo y empeine. Esta zona ha sido usada en forma tradicional para promover la relajación y un buen sueño durante la noche. Estos puntos benefician también la vejiga, los riñones y los órganos reproductivos.

7b. Dé masaje al talón y a las caras laterales del mismo incluyendo los tobillos. Esta área se relaciona con el sacro, el nervio ciático la pelvis, el recto y los órganos sexuales. En la medicina tradicional china esta área del cuerpo se usa para ayudar al alivio de las hemorroides y promover su curación.

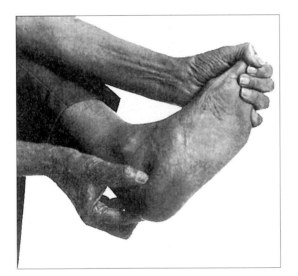

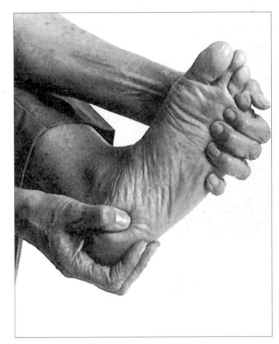

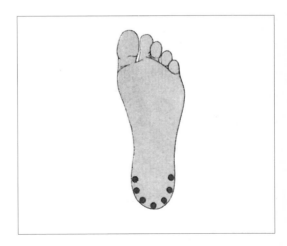

8. Apriete el tendón de Aquiles –el cordón detrás del talón que se une a la pantorrilla–. Pellizque y masajee este tendón desde su inserción en el talón hacia arriba, hacia la pantorrilla. Esto es benéfico para las molestias y la inflamación, así como para prevenir los calambres en los músculos gemelos.

9. Coloque las plantas de los pies sobre el piso y trabaje sobre el empeine masajeando entre los huesos. Cuidadosamente explore los puntos de digitopuntura sobre el empeine, mientras presiona firmemente estos puntos que ayudan a la digestión localizados entre los huesos metatarsiales.

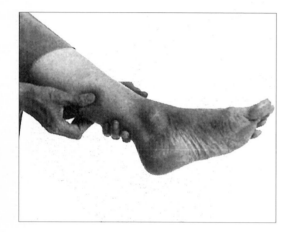

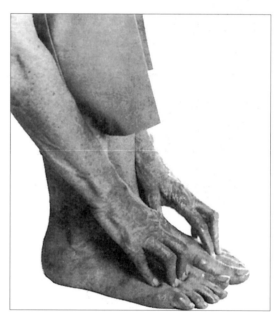

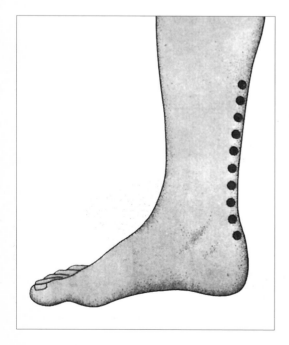

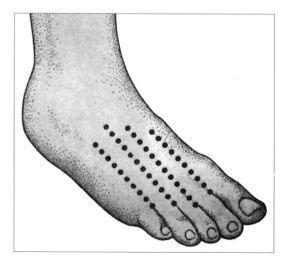

10. Con los pies aún en el piso, flexione cada dedo hacia atrás con la mano. Estire cada dedo una vez, flexionándolos a un ángulo de 90 grados del piso. Esto estimula y beneficia la circulación.

11. Lentamente separe cada dedo. Hágalo suavemente pues la piel entre los dedos es delicada. Luego presione y masajee el tejido entre los dedos, que corresponde con los órganos de los sentidos en el sistema de reflexología.

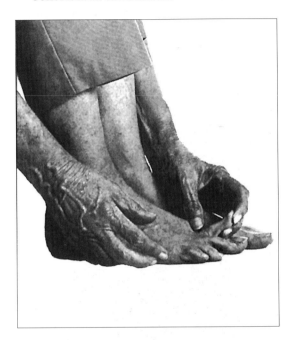

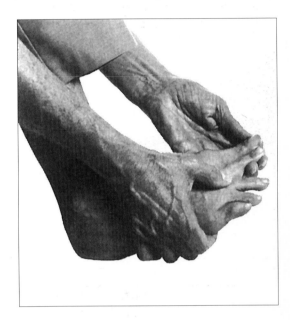

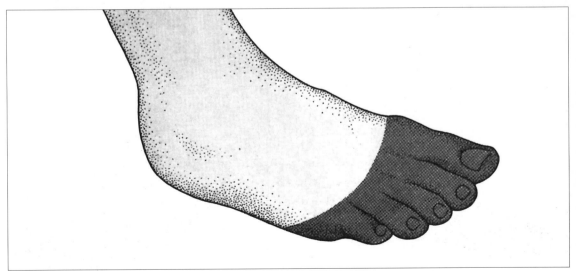

12. Cubra los dedos del pie con la mano y estire los dedos del pie hacia abajo. Esto con frecuencia hará que los dedos chasqueen para liberar la tensión de las articulaciones. Luego, cuidadosamente entrelace los dedos entre los dedos del pie y apriete unas cuantas veces. Libere esta posición mientras respira profundamente para descubrir los beneficios.

13. Dé masaje en las plantas y a los arcos del pie con ambos dedos pulgares. Presione y jale cada dedo del pie. Haga que todo el pie se sienta vivo y vibrante.

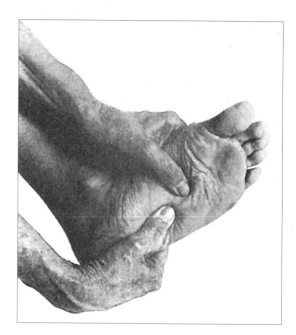

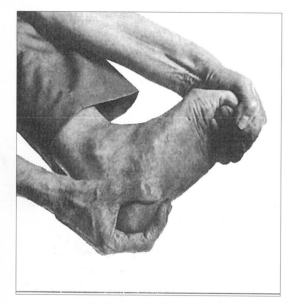

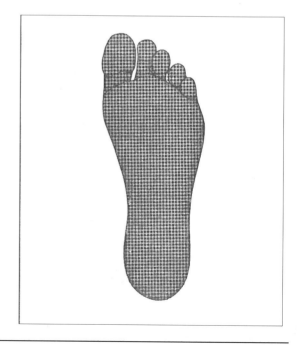

14. Finalmente empuñe el pie con la mano y retuérzalo como un trapo. Cambie de mano y retuérzalo nuevamente. Retuerza también el tobillo en ambas direcciones. Termine dando un suave masaje a los dedos del pie.

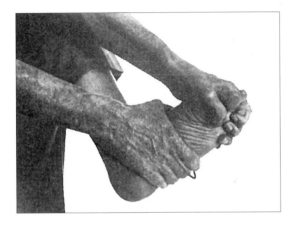

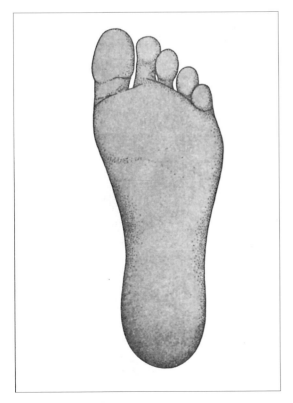

Antes de continuar con el masaje del otro pie, cierre los ojos por un minuto. Mueva los dedos y compare la diferencia entre ambos pies. Respire profundamente y aumente la relajación mientras repite estos pasos en el otro pie. Después de relajarse unos cuantos minutos con el pie levantado, sienta si hubo alivio del dolor de la artritis. Desde aquí puede visualizar una forma de auto tratamiento que mantendrá este sentimiento de bienestar que es suyo.

MASAJE DEL PIE CON PELOTA

Mientras se sienta cómodamente en una silla, intente rodar una pelota de golfo una semilla de aguacate a lo largo de la planta de cada pie. Si siente que una pelota de golf es muy dura, inténtelo con una "pelota de masaje para los pies" usando unas medias gruesas. Puede intentarlo con una pelota de tenis. Para mantener la pelota en su lugar es mejor realizar el ejercicio sobre una alfombra o tapete. Intente practicar este ejercicio después de tomar un baño caliente, una ducha o un baño de pies. Encontrará que es un método fácil y agradable para ayudarse a sí mismo en casa mientras observa la televisión, habla por teléfono o lee.

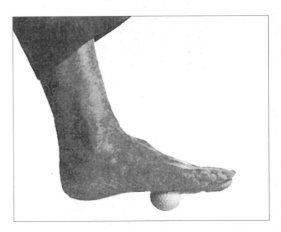

CAPÍTULO VII

MALA CIRCULACIÓN

MALA CIRCULACIÓN

Cuando el dolor que produce la artritis está presente, la tensión muscular bloquea la adecuada circulación sanguínea. Los músculos contraídos comprimen las arterias y las venas y por lo tanto disminuye el flujo sanguíneo. La tensión crónica involuntaria producida por la tensión constante de los músculos como defensa al dolor de la artritis, puede bloquear la circulación aún más.

La mayoría de los problemas de circulación están producidos por tensión muscular y por falta de ejercicio. El ejercicio estimula al corazón para que bombee la sangre más fuerte y rápidamente, el incremento en la circulación mejora la oxigenación de las células del cuerpo. El ejercicio físico mueve al cuerpo, lo calienta, estira y afloja los tendones contraídos y libera la tensión de los músculos.

La mala circulación es una condición negativa auto perpetuada. Esto es, si un área se encuentra en desbalance de tal manera que se impide la circulación sanguínea, entonces la falta de circulación por si misma ocasiona mayores alteraciones. Cuando la sangre no puede llegar adecuadamente a las células para oxigenarlas, aportar nutrientes y arrastrar los materiales de desecho, se produce una mala nutrición y oxigenación de los tejidos, se acumulan las toxinas aumentando así el estancamiento circulatorio y la tensión en el área.

Hace aproximadamente cuatro mil anos, *The Yellow Emperor's Classic of Internal Medicine* describió la circulación de la sangre, que no fué descubierta por los médicos occidentales hasta el siglo dieciseis. Desde los tiempos antiguos, la dígitopuntura y las técnicas de ejercicio han sido empleadas en oriente para mejorar la circulación.

La Acu-Yoga, la combinación de la digitopuntura y un suave estiramiento, mejora la circulación de dos maneras. Primero, aplicando presión directamente sobre los puntos de dígitopuntura, donde se concentra la tensión, de esta forma se favorece la relajación muscular. Segundo, como una forma altamente desarrollada de ejercicio físico, la Acu Yoga estira los músculos y mueve todas las partes del cuerpo. A través de la práctica diaria, se puede mejorar la elasticidad de las arterias. La combinación de digitopuntura y yoga abre el flujo sanguíneo para que los nutrientes y el oxígeno puedan alcanzar las articulaciones dolorosas, tumefactas, y pueda remover por excreción las toxinas y sustancias de desecho.

En las temporadas frías, aquellos que padecen de problemas circulatorios se sienten incómodamente más fríos, y desafortunadamente, existe la tendencia a contraerse. Por supuesto, que es exactamente lo opuesto lo que brinda alivio, o sea relajarse. Cuando se contrae en contra del frío, simplemente crea mayor tensión y con ello disminuye la circulación. La próxima vez que sienta frío, respire profundamente y ¡RELÁJESE! mueva su cuerpo, respire y sienta la circulación de su cuerpo y la energía. Luchar contra el frío no funciona. ¡Fluyendo con él si funciona! Los problemas circulatorios son comúnmente ocasionados tanto por el estrés físico como el mental. Ejercicios mentales simples como la meditación o la visualización pueden ser muy efectivos para relajar la mente. Una vez que la mente se encuentra relajada, entonces será fácil relajar el cuerpo. La liberación de tensión a través de fijar la atención en pensamientos positivos e imágenes, incrementa la circulación y alivia el dolor. Una relajación profunda resulta naturalmente de practicar los siguientes ejercicios mentales, los cuales frecuentemente promueven el alivio del dolor, reducción del estrés y claridad mental.

MEDITACIÓN

La quietud que se consigue durante la meditación disminuye el metabolismo del cuerpo. Esto provee un profundo estado de descanso que tiene grandes beneficios terapéuticos; relaja los músculos y rejuvenece todo el cuerpo, especialmente los nervios y las articulaciones.

Uno de los propósitos importantes de la meditación es el de usar las facilidades mentales para agudizar la concentración, y al mismo tiempo, elevar el nivel de conciencia. Esto puede lograrse enfocando la mente, lo que le permitirá de manera temporal mantenerla al márgen de sus constante habladuría. La mente entonces podrá ir más allá de su campo de acción a uno más vasto que es tremendamente benéfico para aliviar el dolor de la artritis y para ayudar a su cuerpo a restablecer el balance y a curarse por sí mismo.

La mayoría de la gente opera desde la superficie de una concha, una mentalidad que los protege pero que también limita su esfera de acción. A través de los años la mente puede hacerse rígida y parcialmente disfuncional, de la misma manera que las articulaciones pueden hacerse rígidas e inflexibles con la edad.

La meditación es una experiencia que reduce el estrés que lo habilitará para sincronizar los hemisferios cerebrales y al mismo tiempo a agudizar la concentración y la memoria. Como todo lo que vale la pena requiere de esfuerzo y algo de disciplina personal para adquirir los efectos maravillosos. Los beneficios de este trabajo mental interno son tan útiles que la práctica de la meditación resulta en un motivo de alegría. Con la práctica la meditación podrá hacer su vida más sencilla, más llena y podrá extenderla a niveles que nunca antes imaginó.

Respiración de la meditación para el alivio del dolor

1. Siéntese cómodamente en una silla firme con la columna recta; cierre los ojos.
2. Lentamente eleve el pecho y presione su barbilla suavemente sobre el hueco entre ambas clavículas.
3. Coloque el dorso de las manos sobre las rodillas y junte los dedos pulgar e índice.
4. Concéntrese en una profunda respiración desde su abdomen, con la columna siempre recta por tres minutos. Concéntrese en su respiración. Lentamente controle su sistema respiratorio haciendo cada respiración más larga y profunda.

Espire cualquier tensión que esté restringiendo el movimiento natural de sus pulmones. Sienta cómo su mente se hace más clara con cada respiración.

Observe la resistencia que genera su mente: las barreras de juzgar y analizar que surgen en contra. Respire profundo y permita que éstas se alejen. Respire profunda y lentamente, como si estuviera llenando su sistema con energía vital.

Detenga la respiración en la cúspide de la espiración. Exhale suavemente y descubra los beneficios que circulan ahora por su cuerpo.

Si medita de esta forma, concentrándose en la respiración, lo más frecuentemente que pueda, disminuirá su dolor e incrementará su memoria y su efectividad en la vida. Podrá hacerlo en cualquier momento, inclusive cuando se encuentre ocupado en sus actividades diarias. Desvíe su atención hacia la respiración profunda por unos minutos y luego experimente los beneficios que se obtienen.

Aclarando la mente con la meditación

1. Siéntese cómodamente en una silla con la espalda recta.

2. Coloque el dorso de las manos sobre la frente. Los cojincillos de ambos pulgares colóquelos en el ángulo interno de cada ojo, justo donde se unen al puente de la nariz. Junte las puntas de los dedos de ambas manos.

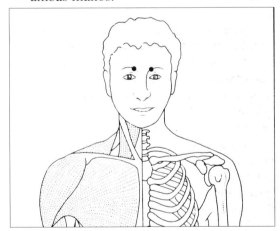

3. En esta posición, permita que sus codos apunten hacia los lados, formando así un triángulo equilátero con los antebrazos. Cierre los ojos y visualice la pirámide o el triángulo que está formando con sus brazos. Mantenga la columna recta mientras respira profundamente.

4. Siéntese en silencio, permitiendo que el poder de la meditación aumente.
5. Después de un minuto, descanse los brazos lentamente sobre los muslos. Siéntese en silencio por unos cuantos minutos con los ojos cerrados y la columna recta para descubrir los beneficios.

El aclaramiento de la mente a través de la meditación, reestablece el adecuado funcionamiento de la glándula pituitaria, así como la memoria de eventos pasados agradables y desagradables. Un exceso de reminiscencias del pasado puede ocasionar un efecto dañino sobre su memoria. Si se quedó encantado en el pasado, puede que no esté alerta y capaz de fijar su atención para recabar adecuadamente información. Cuando se preocupa por lo que ocurrió o lo que pudo haber ocurrido en el pasado, podrá perder contacto con lo que sucede en el presente frente a usted. Ejercitando su conciencia con lo que está en el aquí y el ahora, ganará atención que podrá servirle para su auto curación.

Consideraciones sobre la dieta

Hay algunas consideraciones relacionadas con el dolor de la artritis y la mala circulación. Si siente su cuerpo frío, especialmente en manos y pies, esto puede deberse a que come muchos alimentos fríos. Para balancear esto, limite su ingestión de alcohol, frutas, miel, refrescos, comida congelada y jugos de frutas. Asegúrese de eliminar aquellos alimentos que contengan azúcar refinada.[40]

Las cebollas salteadas y el jenjibre son alimentos que ayudan a la circulación. La sopa de miso es excelente para mejorar la circulación, la energía global y para calentar el cuerpo[41]. Es un hecho, pues que los alimentos fríos enfrían el cuerpo y los calientes lo calientan. Sin embargo, las comidas "calientes condimentadas" –chile, curry, etc.– sí calientan el cuerpo, pero pueden ser irritantes para el sistema cuando se comen en exceso. El trigo sarraceno o el alforjón es considerado como uno de los alimentos que más calor producen en la comida vegetariana. Para adquirir el balance, como regla general, todos los alimentos deberán consumirse con moderación.

DIGITOPUNTURA PARA MAYOR CIRCULACIÓN

Uno de los primeros beneficios fisiológicos de la digitopuntura es la mejoría en la circulación. Mientras que la digitopuntura libera la tensión muscular facilitando así la circulación sanguínea, el incremento en ésta, beneficia las articulaciones afectadas por la artritis, alivia el dolor y permite que sean removidas y eliminadas las toxinas. El incremento en la circulación traerá consigo una mejor oxigenación y nutrición de las articulaciones y los músculos afectados por la artritis. Esto ayuda a aliviar el dolor, estimula la curación y aumenta la resistencia a la enfermedad, lo que por supuesto, promoverá una más larga y saludable vida.

Los siguientes puntos de digitopuntura son efectivos para aumentar la circulación en

---

[40] Si su estado es el opuesto, y por lo general están muy calientes, intensos e hiperactivos, equilibre esto limitando el consumo de carne y sal.

[41] El miso es un alimento oriental tradicional fabricado con frijoles se soya maduro y sal. Consulte en una tienda naturista sobre libros de cocina con recetas que lleven miso.

áreas específicas. Primero, dé masaje al área donde tenga mala circulación. Luego seleccione uno o más puntos que se encuentren sobre o cerca de estas áreas, haga esto unas cuantas veces al día por espacio de dos o tres minutos (en ambos lados del cuerpo) usando presión firme. Las siguientes instrucciones le darán la ubicación de los puntos, cómo presionarlos y los beneficios de usar los puntos.

Punto global de circulación de todo el cuerpo: GB 21

Ubicación: se localiza en la parte superior del hombro, sobre el músculo trapecio, a dos centímetros del borde de unión del cuello y el hombro.

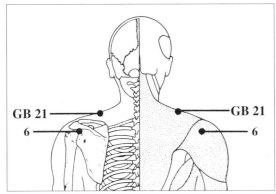

Aplicación de los dedos: presione gradualmente sobre el músculo contraído mientras se suaviza y se relaja. Presione ligeramente si está embarazada.
Beneficios: ayuda a la circulación, alivia la tensión, irritabilidad, fatiga, tensión en los hombros, pies y manos fríos y dolores de cabeza.

Circulación del brazo: punto #6

Ubicación: trace una línea recta desde el pliegue posterior de la axila en dirección al hombro. El punto se localiza dos tercios arriba del pliegue de la axila.
Aplicación de los dedos: presione directamente sobre la cuerda muscular en la articulación del hombro, dirigiendo la presión hacia el corazón.
Beneficios: ayuda a la circulación, alivia la hipertensión, problemas en los brazos (dolor, hormigueo, rigidez, manos frías, dolor o molestias sobre las escápulas, rigidez en el cuello y tensión en los hombros).

Circulación en las manos: punto #3

Ubicación: se localiza en el borde externo lateral, en la región velluda o quemada del antebrazo, a dos dedos del pliegue de la muñeca y entre ambos huesos del antebrazo.
Aplicación de los dedos: presione firmemente entre ambos huesos por la parte externa del antebrazo. Este es el punto maestro del gran canal regulador.
Beneficios: ayuda a la circulación, alivia el reumatismo, dolor en el hombro y el cuello, dolores de cabeza, influenza, frío, fatiga, miedo, debilidad y temblor en los dedos.

Punto de circulación de la mano: P 6

Ubicación: en la parte interna del antebrazo, a dos dedos de distancia del pliegue de la muñeca, entre ambos huesos.
Aplicación de los dedos: presione firmemente entre el radio y el cúbito, dos a

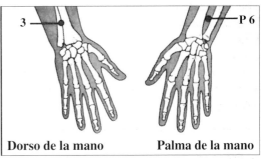

Dorso de la mano   **Palma de la mano**

cuatro centímetros por arriba de la muñeca. Si está embarazada presione ligeramente.

Beneficios: ayuda a la circulación, mejora la náusea, el insomnio, disfunciones emocionales, periodos menstruales irregulares, diarrea, vértigos, epilepsia, dificultad para respirar.

Puntos de circulación en las piernas: Sp 12, Sp 13

Ubicación: se localiza en la ingle, donde la pierna se une al tronco.

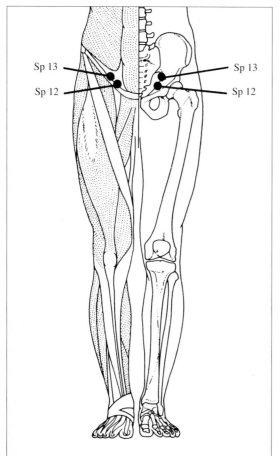

Aplicación de los dedos: presione hacia adentro en forma gradual con sus dedos.

Beneficios: ayuda a la circulación, alivia la tensión pélvica, dolor en la ingle, tensión menstrual, molestias estomacales, indigestión, pies fríos, frustración y tensión sexual.

Puntos de circulación en los pies: Sp 4

Ubicación: se localiza en el arco superior del pie, a un dedo pulgar de distancia del juanete en dirección hacia el talón.

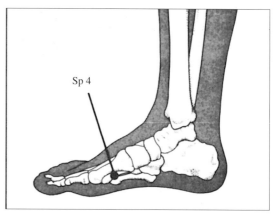

Aplicación de los dedos: presione firmemente sobre el músculo que corre a lo largo del arco del pie.

Beneficios: ayuda a la circulación, alivia la indigestión, dolores de estómago, las preocupaciones, calambres en los pies y pies fríos.

CAPÍTULO VIII

CONSIDERACIONES SOBRE LA DIETA

CONSIDERACIONES SOBRE LA DIETA

Hemos tratado hasta el momento el automasaje y el estiramiento como medidas para aliviar el dolor que produce la artritis. La dieta, por supuesto, es un factor importante. Lo que comemos y la cantidad en la que comemos los diferentes alimentos puede afectar la condición artrítica. Es importante saber cuáles alimentos eliminar, cuales evitar y cuales enfatizar, no sólo para manejar el dolor de la artritis, sino para mejorar la condición global de nuestra salud.

En este capítulo examinaremos varios principios nutricionales así como consideraciones dietéticas prácticas. Hablaremos de los alimentos que agravan la artritis y cuales son benéficos para prevenirla. Discutiremos también acerca de los diferentes vitaminas y minerales que han sido usados y probados por los médicos que han adquirido una actitud holística en la ayuda que brindan a sus pacientes con artritis.

Hay numerosas opciones dietéticas y un largo espectro de posibilidades en la forma adecuada de comer. Como individuos, todos tenemos necesidades nutricionales diferentes. Cada persona tiene una combinación única de hábitos, gustos, influencias paternales, estilo de vida, actividad física y metabolismo.

Una dieta saludable y bien balanceada, puede considerarse como la mejor medicina para el cuerpo. Somos lo que comemos. Si consumimos elevadas cantidades de alimentos procesados, los órganos internos responsables de digerir, asimilar y eliminar los materiales de desecho se tornan lentos y perezosos. Como consecuencia todo el aparato digestivo se congestiona. Con el tiempo, esto puede afectar la circulación y la condición de las articulaciones. A continuación hay lista de varias recomendaciones dietéticas específicas para aliviar la artritis. Mientras más alimentos naturales no procesados comamos y aprendamos a balancear nuestra dieta y a ejercitarnos bien, mejor será nuestra salud.

...Hay una abrumadora evidencia de que las comidas nutricionalmente balanceadas, ingeridas regularmente benefician a la salud, al tono muscular, y en el caso de la artritis, proporcionan la posibilidad de resistir el deterioro de la enfermedad.[42]

Los herbolarios chinos advierten a los enfermos de artritis y reumatismo evitar las comidas grasosas, el pan, puerco, azúcar blanca, harina de trigo y frutas ácidas.[43]

La artritis es ocasionada por el consumo excesivo de alimentos

---

[42] The Arthritis Foundation, *Diet and Arthritis -A Handbook for Patiens,* 1987.
[43] Richard Lucas, *Secrets of the Chinese Herbalist,* Comerstone Library, 1977, p. 104.

extremadamente desbalanceados tales como carne, azúcar por un largo periodo de tiempo. Esto condiciona una falta de grasas de buena calidad y una condición de acidez crónica en la sangre. La teoría más importante señala la necesidad de suspender alimentos "extremos". Las frutas cítricas deberán evitarse.[44]

De los vegetales, papas, repollo, pimiento verde así como todas las verduras de hoja verde son ricas en vitaminas y minerales de gran valor para el artrítico. Las colecitas de bruselas, remolacha, arvejas y apio son todas muy buenas.[45]

El Dr. Collin Dong, graduado de Stanford University Medical School, padecía de artritis a la edad de treinta y cinco años. Se ayudó a sí mismo con una dieta que consistía principalmente en arroz, pescado y verduras. El Dr. Dong recomienda comer alimentos de mar, verduras, aguacate, nueces, semillas de girasol, aceite de cártamo, arroz, frijol de soya, perejil, cebolla, ajo, pan de granos enteros, claras de huevo, margarina (sólidos de leche como libre de mazola) y miel. Posteriormente recomienda evitar la carne, el tomate, chocolates, productos lácteos, nueces tostadas, refrescos de cola, bebidas alcohólicas y todos los conservadores, especialmente el glutamato monosódico.

La mejor manera de conocer la dieta adecuada para usted, es informándose y experimentando las diversas formas de comer[46]. Experimente con usted los efectos que las diferentes dietas tienen sobre su artritis o sobre su reumatismo. Pruebe diferentes alimentos, cantidades,

combinaciones y raciones. De esta forma podrá aprender directamente cuál dieta le sienta mejor. ¡Recuerde, sin embargo, que la "dieta ideal" puede cambiar! de la misma manera que cambian las estaciones, nuestras dietas también deben cambiar.[47]

Cuando altere su dieta recuerde la moderación, pues los cambios extremos tienden a producir desajustes. Los efectos no sólo se sienten al día siguiente, podrá sentirlos en forma inmediata. Los efectos benéficos de este programa dietético se percibirán gradualmente, sea paciente y dele tiempo a su cuerpo para que se adapte al cambio.

Vitaminas y minerales

Muchos doctores utilizan las vitaminas y minerales para ayudar a sus pacientes a prevenir y aliviar el dolor producido por la artritis. Es esencial realizarse estudios periódicos de sangre y de orina para monitorear la respuesta de su sistema a vitaminas y minerales específicos. El calcio, junto con el complejo B y las vitaminas C y E han sido encontradas como particularmente útiles en la prevención y alivio de los síntomas del reumatismo.[48]

---

[44] Naboru Muramoto, *Healing Ourselves,* Avon Books, 1973, pág. 118.

[45] Collin H. Dong, M.D., y Jane Bank, *The Arthritis Cookbook,* Bantan Books, 1973, pág. 29.

[46] Naboru Muramoto, *Healing Ourselves,* Avon Books, 1973. Un libro magnífico sobre terapia dietética oriental.

[47] Elson M. Hass, M.D., *Staying Healthy winth the Seasons,* Celestial Arts, 1981. Un libro altamente recomendado sobre salud y nutrición, en relación con los cambios de estación.

[48] Irna y Laurence Gadd, *Arthritis Alternatives,* Warner Books, 1965, págs. 86-88

Calcio

Aquellos que padecen dolores reumáticos y artríticos frecuentemente tienen deficiencia de calcio.49

El Dr. L. W. Cromwell de San Diego California, reportó a la sociedad gerontológica de San Francisco, que la deficiencia de calcio es una de las causas de la invalidez que produce la artritis. Esta deficiencia, dice él, tiende primero a la osteoporosis perdida de la substancia ósea). Luego debido a la disminución del calcio del hueso, el cuerpo compensa depositando cantidades extra de calcio en los puntos de mayor estrés –las articulaciones– lo cual da origen al incremento en la rigidez de las articulaciones.[50]

La necesidad de calcio se incrementa con la edad. La edad tiende a disminuir la capacidad del organismo para asimilar el calcio. Cuando envejecemos el cuerpo tiene dificultad para asimilar el calcio y la necesidad por éste también aumenta. Aunque el gobierno de los Estados Unidos sugiere un requerimiento diario mínimo de calcio de 800 mg., este deberá tomarse junto con vitaminas A,C y D así como con fósforo y magnesio. Las semillas de sésamo, pescado, algas marinas así como los vegetales verdes de hoja tienen concentraciones elevadas de estas vitaminas y minerales.

Las siguientes vitaminas y minerales ayudan al organismo a absorber calcio:
- Fósforo.
- Magnesio.
- Vitaminas A,C y D.

Es importante consumir alimentos naturales que contengan estas sustancias. Los minerales y vitaminas contenidos en estos alimentos favorecen la absorción adecuada de calcio:
- Perejil
- Germen de trigo
- Semillas de girasol crudas
- Tofu

Complejo B

Estudios recientes demuestran que las vitaminas del complejo B son útiles (arriba de 1000 mg. por día) para aliviar la artritis[51] y los dolores reumáticos.[52] Se ha encontrado que el complejo B es útil para alimentar y restaurar el sistema nervioso. En el reumatismo las envolturas nerviosas se inflaman. Consumiendo regularmente granos enteros, semillas, tofu, vegetales de hoja y otros alimentos ricos en vitaminas del complejo B, frecuentemente podrá disminuir en forma sustancial el dolor asociado con el reumatismo y la artritis.

Vitamina E

La vitamina E ayuda a la circulación de la sangre a través de las articulaciones y los músculos. Por lo tanto, la vitamina E puede ser un factor o agente importante en el alivio del dolor reumático.

Un estudio israelí publicado por el *Journal of the American Geriatrics Society* (julio de 1978), reportó que el 50% de los pacientes que tomaban 600 unidades internacionales (UI) de esta vitamina tenían "una marcada disminución del dolor".[53]

49 Irna and Laurence Gadd, Arthritis Alternatives, Warner Books, pp. 86-88.
50 Leonard Mervyn, Rheumatism and Arthritis, Thorsons Publishing Group, 1986, p. 76.

51 Leonard Meryvyn, Rheumatism and Arthritis, Thorsons Publishing Group, pp. 71-72.
52 Irna and Laurence Gadd, Arthritis Alternatives, Warner Books, 1965, p. 87.
53 Irna and Laurence Gadd, Arthritis Alternatives, Warner Books, 1965, p. 86.

Investigaciones sobre la vitamina E se han llevado a cabo en la Arthritis Clinic, Rochester, General Hospital, NY., *por el Dr. C.L. Steinberg, quien reportó en Annals of* The New York Academy Science, *que le dio vitamina E a 300 pacientes, obteniendo alivio del dolor en la vasta mayoría de los casos. Recomendó a los pacientes una dosis de mantenimiento después de la desaparición de los síntomas.*[54]

Comidas especiales y recetas

El mijo es una pasta oscura hecha de una mezcla de frijol de soya y sal. Se usa para hacer sopas, salsas y dips. Esta comida oriental es ampliamente usada en la terapia dietética tradicional para mitigar la artritis.

No añada sal cuando coma mijo, ya que éste se hace con sal. Use tan sólo una cucharadita rasa de sal para una olla de sopa. Ya que al hervir el mijo éste pierde su valor nutritivo y sus enzimas digestivas, siempre añada la pasta de mijo después de cocerlo.

El mijo ayuda a restaurar la flora bacteriana normal del intestino y sirve por tanto para la digestión y la asimilación de la comida. Generalmente fortifica el metabolismo y alcaliza el sistema, lo que resulta benéfico para las personas que padecen de artritis y de anemia.[55]

He aquí una receta que recomiendo:

Sopa de miso
(para seis personas)

1 cucharadita de aceite de sésamo.
2 tallos de apio.
2 cebollas cortadas en cubos.
5 tomates.
4 dientes de ajo machacados.
2 zanahorias grandes.
1/4 de cucharadita de albahaca taza de brócoli fresco.
Una pizca de pimienta.
2 calabacitas italianas.
2 cucharaditas de pasta de miso.

Caliente el aceite de sésamo en una olla grande. Añada las cebollas, el apio y el ajo. Saltee con especies por cinco minutos. Añada las verduras cortadas y cubra con seis tazas de agua o caldo de pollo. Cocer a fuego lento por 10 minutos. Apague la lumbre. Diluya el miso en unas cuantas cucharadas de caldo de pollo y añádalo a la sopa. No hierva el miso. Revuelva bien y sirva inmediatamente.

He encontrado las siguientes recetas útiles para los pacientes artríticos. Las recetas han sido formuladas con ingredientes especiales que contienen vitaminas y minerales que fortifican el cuerpo de manera natural, especialmente para aquellos con problemas artríticos. Cuando se consumen estos alimentos en forma regular, aproximadamente dos veces a la semana, se sentirá mejor y más saludable.

[54] Leonard Mervyn, Rheumatism and Arthritis, Thorsons Publishing Group, 1986, p. 73
[55] Naboru Muramoto, Healing Ourselves, Avon Books, 1973, p. 83.

Ensalada de nuez tostada
(para seis personas)

Con una noche de anterioridad ponga a remojar una taza de almendras crudas enteras o cacahuates crudos y enteros. Retire el agua, enjuague y cúbralos con agua fresca. Refrigere las nueces. Parta en cubos las siguientes verduras:

3 tallos de apio.
2 ó 3 cebollas verdes.
Un manojo de perejil.
Una taza de repollo.
Una taza de lechuga fresca.

Retire el agua a las nueces e incorpórelas a las verduras. Cúbralas con la siguiente salsa, o use su aderezo preferido:

2 cucharaditas de salsa de soya.
2 cucharaditas de limón o vinagre de arroz.
2 cucharaditas de aceite de sésamo o aceite de almendras dulces.
Una pizca de pimienta.
Una pizca de ajo o cebolla en polvo.

Revuelva la ensalada con el aderezo. Coloque encima germen de trigo o semillas de sésamo ligeramente tostadas y sirva.

Kombu

Esta variedad de alga marina ha sido considerada como particularmente útil para el alivio de la artritis, la regulación de la presión arterial alta o baja y algunos tumores. Remójela y cuézala junto con las verduras.

Arroz asado
(para seis personas)

Tueste a fuego medio, en una cazuela arroz crudo entero y café por espacio de quince a veinte minutos o hasta que esté bien dorado. Cómalo en pequeñas cantidades, masticándolo concienzudamente dos veces al día sin hervirlo. En la medicina tradicional china este arroz es útil para el hiperinsulinismo y el reumatismo.

Raíz de diente de león o amargón

Saltee pedazos pequeños. Añada un poco de salsa de soya y cuézalo. Ha sido considerada como tradicionalmente útil para el alivio de la artritis, el reumatismo y algunos problemas cardíacos.

Los médicos de la tradicional medicina china advierten a los pacientes artríticos y reumáticos evitar aquellos alimentos que forman ácido, como los alimentos horneados, la azúcar blanca o refinada, productos lácteos, productos elaborados con harina blanca o de trigo frutas cítricas y puerco. Las comidas deberán incluir verduras cocidas al vapor, arroz integral entero y frutas alcalinas. Aquellos que padecen de gota deberán abolir el uso de bebidas alcohólicas especialmente cerveza. Aquellos alimentos ricos en almidón deberán abolirse.

Los antiguos herbolarios chinos descubrieron que el té de la raíz del Fo-Ti-Teng (disponible en tiendas naturistas) disuelve en forma eficaz la acumulación de toxinas de las articulaciones y el cuerpo en general. Es por lo tanto usado como antiinflamatorio para el alivio de la bursitis, reumatismo, artritis y la gota.

El apio es usado en la China no sólo como alimento, sino también como un remedio para el alivio de la neuralgia, los nervios, reumatismo, artritis, gota y lumbago. Un té cargado de semillas de apio junto con un alto consumo de apio en la dieta pueden ayudar a neutralizar el ácido úrico del cuerpo.

Té de apio

Coloque tres cucharaditas de semillas de apio en 2 litros de agua. Cubra el recipiente y deje hervir por tres horas a fuego bajo. Cuélelo. Tome una taza de té caliente tres o cuatro veces al día.

CAPÍTULO IX

INSTRUMENTOS DE AYUDA

INSTRUMENTOS DE AYUDA

Este capítulo le dará información adicional para el alivio de la artritis usando objetos comunes como herramientas. Aunque sus dedos son uno de las más fuertes herramientas de curación que posee, también son sensibles, y por ello es importante no depender exclusivamente de el los para el alivio del dolor, especialmente si éstos se han debilitado por la artritis.

Las siguientes páginas muestran herramientas que puede hacer con objetos caseros. Para otros recursos como videos y audio cassettes, posters así como productos naturales que son analgésicos póngase en contacto con el Instituto de Dígitopuntura[56]. Al final de este capítulo encontrará sugerencias para usar técnicas mentales, específicamente visualizaciones para aliviar el dolor que produce la artritis. Le ofrezco estos recursos y sugerencias con el fin de animarlo a que tome la salud con sus propias manos.

Pelotas de golf

El tamaño y la forma de las pelotas de golf las hacen una herramienta útil para dar masaje y para ejercitar sus articulaciones.

[56] Solicite al *Instituto de Acupresión* un catálogo de productos y libros gratuito. Asegúrese de mencionar que está interesado en los artículos de autoayuda para el *Alivio de la artritis.* Acupressure Institute, 1533 Shattuck Avenue, Berkeley, California 94709. Tel. (415) 845-1059, 1-800-442-2232 sólo fuera de California.

Usualmente es útil mantener unas cuantas pelotas en el trabajo y en casa en lugares estratégicos como cerca de la silla donde ve la televisión, en la bolsa, en el abrigo, en la mesita de noche, en la guantera del coche o cerca del teléfono.

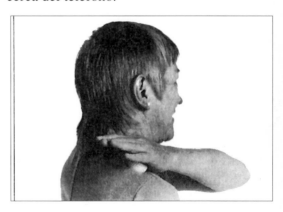

Masaje: las pelotas de golf le permitirán masajearse sin esforzar las manos. Coloque la pelota en la palma de la mano y gírela sobre el área que va a trabajar. Experimente con diferentes movimientos y tiempos, tales como lento, rápido, movimientos circulares rápidos, en comparación con movimientos largos y lentos de adelante hacia atrás.

Masaje de los pies: coloque una pelota de golf en el piso mientras permanece sentado cómodamente en una silla de respaldo recto. Con la planta del pie haga girar la pelota para estimular los puntos de reflexología. Si encuentra un punto molesto, presiónelo firmemente sin mover la pelota por un minuto o dos y respire profundamente.

Puede usar dos pelotas simultáneamente, una para cada pie, mientras se encuentra en su escritorio, hablando por teléfono o viendo la televisión. El masaje de los pies con pelota de golf puede hacerse descalzo o bien con calcetines.

Artritis en la mano: la pelota de golf es una excelente herramienta para masajear y ejercitar las articulaciones de la mano. Lentamente gire la pelota entre las manos para estimular todas las áreas de la palma y del dorso de la misma.

También podrá usar dos pelotas para ejercitar las manos y prevenir y aliviar el dolor que produce la artritis. Con la palma hacia arriba, coloque dos pelotas sobre ella y hágalas girar lentamente mientras mueve su mano. Es importante contabilizar el tiempo de ejecución de este ejercicio e incrementarlo poco a poco, siendo cauteloso de no sobreejercitarse, especialmente si padece de artritis reumatoide.

Pinzas de ropa

Dolor en la mano y el pie: hay puntos de dígitopuntura en la base de cada uña que le pueden ayudar a aliviar el dolor en las manos y los pies. Si tiene algún dolor que se irradie hacia los dedos de las manos o de los pies, usted podrá aliviarlo aplicando presión firme sobre los nervios cercanos a la base de las uñas.

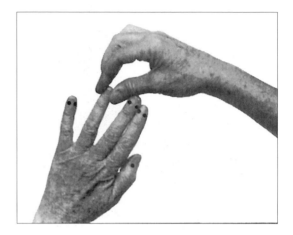

Estos puntos necesitan de dos a tres minutos de presión prolongada y firme. Podrá usar el dedo pulgar e índice para presionar a ambos lados de la base de la uña del dedo que elija. Con frecuencia sentirá cansancio en los dedos que ejercen la presión. Intente estimular estos puntos con una pinza para ropa. Envuelva el dedo con un pedazo de algodón y luego póngase la pinza en la base de la uña, ajústela cómodamente. Después de un minuto o dos retire la pinza y mueva sus manos libremente.

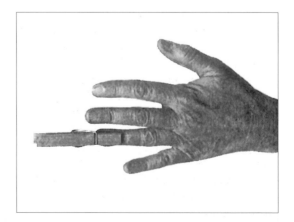

[57] *Nota:* Por favor, consulte el capítulo sobre manos (páginas 91-128), para técnicas más específicas que utilicen pelotas de golf.

Pelotas de tenis

Masaje en la espalda: las pelotas de tenis o las pelotas de hule pequeñas, son herramientas útiles para dar masaje a aquellas partes difíciles de alcanzar en la espalda. Coloque unas cuantas pelotas juntas en el piso, o sobre una alfombra. Siéntese de espaldas a las pelotas, las rodillas dobladas y los pies apoyados sobre el piso frente a usted. Lentamente recline la espalda hacia atrás, y apóyese sobre los codos, colocando las pelotas en la parte de la espalda que necesite masaje.

Una vez que ha dado masaje al área elegida, sostenga la posición sin movimiento por unos cuantos minutos, mientras que respira profundamente y relaja la cabeza hacia atrás. Luego gire las pelotas gradualmente a alguna otra área tensa. Sostenga la posición por un minuto mientras respira lenta y profundamente con los ojos cerrados.

Una vez que haya aliviado la tensión de la espalda, retire las pelotas y recuéstese con los ojos cerrados. Relájese completamente por cinco minutos, respirando lenta y profundamente.

Mano y muñeca: coloque una pelota de tenis sobre una mesa, cúbrala con la palma de la mano moviéndola en círculos pequeños. Gire la pelota de tenis entre los dedos para estirarlos. Luego desplace la pelota debajo del pliegue de la muñeca, haciendo círculos pequeños para dar masaje a la articulación de la muñeca. Cambie de mano.

Coloque su mano izquierda sobre la mesa con la palma hacia abajo. Coloque la pelota sobre el dorso de la mano sosteniéndola con la mano derecha y dé masaje a los huesos metacarpianos de la mano. Después de dar masaje a cada hueso cambie de lado para dar masaje a la mano derecha.

Fortaleciendo las manos: empuñe la pelota con su mano izquierda y apriétela lentamente cinco veces. Gradualmente incremente el número de veces que la aprieta para fortalecer así sus manos, los dedos y las articulaciones de la misma.

Goma de borrar del lápiz

Ya que muchas personas tienen dificultad para presionar algunos de los puntos por períodos prolongados (debido a la debilidad que produce la artritis, a la degeneración de las articulaciones o a dolor), se puede usar la goma de borrar de un lápiz. El lápiz deberá ser lo suficientemente largo como para empuñarlo, ya que este hará las veces de una manija. El borrador no deberá estar desgastado pues éste se usará para aplicar la presión. Use la goma de borrar del lápiz para presionar cualquier punto de dígitopuntura que se le dificulte con los dedos. Por ejemplo, en los pies, las piernas, los brazos, manos, etc.

Hueso del aguacate

El hueso de un aguacate podrá usarse en forma similar a la pelota de golf ya que son aproximadamente del mismo tamaño. Una ventaja del hueso del aguacate es que tiene un extremo ovalado que le permite alcanzar áreas de difícil acceso. Esto lo hace una herramienta excelente para dar masaje a los puntos de dígitopuntura de las manos y los pies especialmente en las articulaciones. Use el hueso del aguacate en esas áreas, sosteniendo la presión por uno o dos minutos, repitiéndolo dos o tres veces al día.

El hueso del aguacate también se puede usar para dar masaje a los puntos de reflexología de la planta de los pies. Tal como las pelotas de golf, coloque el hueso del aguacate en el piso y hágalo girar con la planta del pie dando masaje a los puntos de reflexología.

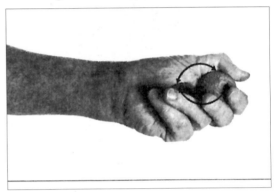

Podrá usar también el hueso del aguacate en la palma de la mano para dar masaje a cualquier área del cuerpo. Si tiene dos huesos de aguacate, podrá sostenerlos ambos en una mano (con la palma hacia arriba) y hágalos girar lentamente con movimientos de los dedos para ejercitar así las manos. Si tiene artritis reumatoide deberá practicar este ejercicio con moderación, junto con periodos de relajación profunda no sólo para las manos sino también para el resto del cuerpo. Este ejercicio es excelente para la osteoartritis de las manos.

Una toalla
Haciendo un rodillo para la espalda

Materiales:
- Un palito redondo de madera o un tubo de plástico de 24 cm de largo aproximadamente.
- Una toalla grande y gruesa.
- Dos cuerdas o listones largos (de 60 centímetros cada uno).

Instrucciones:

1. Extienda la toalla y doble los extremos hacia el centro como se muestra en la foto.

2. Coloque el palito o el tubo a uno de los extremos de la toalla y enróllela sobre éste.
3. Amárrela con la cuerda o listón para mantenerla fija.
4. Coloque su rodillo sobre el piso. Acuéstese sobre el piso con el rodillo debajo de usted.

5. Ruédelo sobre un área de su espalda que esté molesta o dolorosa.

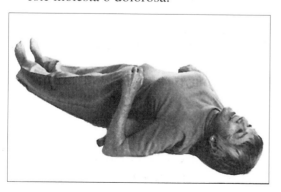

6. Permanezca en esa área por espacio de un minuto con los ojos cerrados respirando profunda y lentamente.
7. Mueva el rodillo a las otras áreas tensas de su espalda y repita e] paso número 6.

Junte sus rodillas y llévelas hacia el abdomen, esto aumentará la presión del rodillo sobre su espalda. Inhale cuando levante las piernas y exhale cuando las apoye lentamente sobre el pecho. Continúe respirando profundamente mientras coloca las rodillas en alguna posición cómoda.[58]

Estire el cuello

Siéntese cómodamente sobre una silla y cuélguese una toalla mediana sobre el cuello, con los extremos de la misma colgando hacia ambos lados del cuello. Empuñe firmemente los extremos de la misma con la cabeza relajada e inclinada hacia adelante. Aplique

---

[58] Nota: Además, puede variar este rodillo para la espalda al usar dos pelotas de tenis o de golf en lugar del tubo. Coloque las pelotas separadas entre sí unas tres pulgadas y errolle la toalla alrededor de las dos pelotas.

presión firme hacia abajo para estirar el cuello Agua tibia y caliente de cinco a diez segundos. Respire profundamente mientras levanta su cabeza. Exhale cuando aplique la presión por espacio de cinco a diez segundos. Continúe con el masaje para aliviar la tensión del cuello y de los hombros.

Estire las piernas

Siéntese sobre una alfombra o tapete con las piernas extendidas hacia adelante. Coloque el centro de una toalla larga alrededor de la planta de los pies y agarre los extremos con las manos. Inhale cuando estire su espalda. Exhale cuando se incline hacia adelante con la ayuda de los brazos, intentando llevar la frente hacia las rodillas. No doble las rodillas. Inhale arriba y exhale abajo, continúe el ejercicio varias veces.

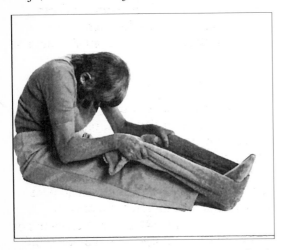

Beneficios: este ejercicio estira "el nervio de la vida" (el nervio ciático) uno de los más largos del cuerpo. El estiramiento diario lento de este nervio es una clave importante para promover una vida más larga y saludable.

Agua tibia y caliente

Las duchas calientes, así como los baños de tina, los jacuzzis y las compresas calientes son importantes para aliviar el dolor que produce la artritis. La efectividad depende de la adecuada combinación de calor y de los ejercicios descritos en este libro.

El ritual del baño puede ser una parte importante en el tratamiento de su artritis. Prepare su baño con diferentes tipos de aceites, como de eucalipto o aceite de menta (disponible en farmacias y tiendas naturistas). Las sales de Epson pueden ser otro elemento calmante adicional en su baño. Recuéstese después del baño y relájese completamente.

Trátese también con baños de pies y masajes. Asegúrese de tomar baños en las manos. Es muy benéfico masajear las manos cuando éstas se encuentran sumergidas en el agua, por unos cuantos minutos, varias veces al día. Frote una mano contra la otra como si estuviera lavándoselas con jabón. La combinación del movimiento con el agua caliente y la respiración profunda es excelente para las articulaciones que padecen artritis.

Las duchas también pueden ser altamente terapéuticas para dar masaje a todo el cuerpo. Es adecuado tener una regadera de presión que da masaje firme al cuerpo con una fuerte presión del agua. Siéntase libre para experimentar diversas formas de estirar su cuerpo y masajearse mientras esté en la ducha.

La combinación del agua caliente con la estimulación del auto masaje y el estiramiento incrementan los beneficios.

TRATAMLENTOS EXTERNOS

Emplasto de soya

Remoje una taza de frijol de soya en cinco tazas de agua por veinticuatro horas. Macháquelo y añada harina de trigo al 10%. Aplíquelo sobre la frente para disminuir la fiebre, o sobre cualquier área inflamada. Absorbe tanto la fiebre como las inflamaciones producidas por la artritis a lo largo del cuerpo.

Compresas de jengibre

Las compresas calientes de jengibre son buenas para aliviar la tensión muscular, la rigidez y las articulaciones artríticas dolorosas(59). Ralle 4 onzas de jengibre crudo. Colóquelas sobre un trapo delgado. Ponga a hervir 112 de galón de agua. Apáguelo. Coloque la tela dentro del agua. Cuando el agua se tome amarilla pálida sumerja una toalla dentro de ella. Escurra el exceso de agua y cubra el área con la toalla caliente. Cubra la compresa con otra toalla para evitar el enfriamiento rápido. El agua deberá estar tan caliente como pueda tolerarla sin quemarse. Remoje nuevamente la toalla cuando ésta se enfríe. Continúe por quince minutos o hasta que la piel tienda a ser rosada.

Beneficios: las compresas de jengibre son especialmente efectivas para aliviar el dolor producido por la artritis así como para liberar la tensión muscular de la espalda. Aplique las compresas directamente sobre estas áreas rígidas.

Baño de jengibre

Rebane un pedazo pequeño de jengibre en pedazos pequeños. Envuélvalos en un trapo limpio, amárrelos y sumerjalos en dos galones de agua. Déjelo hervir una hora. Vierta esta agua en una bañera y sumérjase hasta que el agua se enfríe. Es especialmente bueno para los dolores en las piernas, tobillos, caderas y parte baja de la espalda.

Emplasto de Tofu

Use un trapo para escurrir el exceso de agua del tofu. Mézclelo con harina de trigo al 10% para secarlo mejor y darle consistencia. Extienda esto directamente sobre el área inflamada. Es bueno para aliviar la inflamación y el calor así como las áreas con febrícula.

Lúpulo

Tradicionalmente el lúpulo se ha usado para aliviar el dolor de las neuralgias, ciática, artritis, reumatismo y lumbago. El emplasto se hace colocando un puñado de lúpulos en una bolsa de muselina amarrándola muy bien, pero dejando suficiente espacio para que los lúpulos se hidraten. La bolsa se coloca en un recipiente con agua caliente por unos minutos, se exprime y se coloca sobre el área dolorosa tan caliente como le sea posible tolerarlo. Cubra con una toalla seca para mantener el calor.

---

[59] Nota: Si siente las articulaciones calientes, hinchadas o enrojecidas, no aplique estas compresas calientes. Consulte a su médico para tener su opinión.

Hojas de artemisa

Cocidas al vapor, colóquelas como cataplasma para el alivio del dolor y las molestias.

Romero

Esta hierba fue llevada a la China desde Roma durante la dinastía Wei. El aceite de romero mezclado a partes iguales con aceite de enebro se usa para aliviar el dolor de las articulaciones artríticas y es especialmente bueno para los dolores de espalda.

Aceite de maní

Después de calentarse, use este aceite para darse masaje para reducir la inflamación y el dolor que produce la artritis. Las articulaciones se masajean tres veces al día. Este remedio trabaja lentamente, pero se dice que produce buenos resultados.

Alcanfor

Cuando se mezcla con el vino chino, el alcanfor se usa como un linimento para los dolores musculares.

AFIRMACIONES Y VISUALIZACIONES PARA EL ALIVIO DEL DOLOR

Mientras respira lenta y profundamente, piense en las cualidades positivas que ahora posee y que pueden durar por el resto de su vida. Dígase a sí mismo:

Me daré a mí mismo lo que sea para aliviar y curar mi artritis. Tengo fe en que se me dará todo lo que necesito para estar más saludable. Confío en que tomaré decisiones para crear un estilo de vida que enriquezca mi salud.

Ahora visualícese conduciendo una carreta, sosteniendo firmemente las riendas que gobiernan su creatividad y potencial en la vida. Respire profunda y lentamente mientras visualiza esta imagen y clarifica sus retos y aspiraciones. Mientras continúa respirando profundamente, visualícese tomando las riendas de su vida, con confianza, fe, convicción y una clara visión de tomar más sabias decisiones respecto a su salud a lo largo de la vida.

La siguiente afirmación le ayudará a familiarizarse con esa virtuosa y sabia carreta. Respire profundamente mientras se dice a sí mismo:

Las decisiones que tome para aliviar mi artritis son sabias y útiles. Estoy guiado constantemente por el conocimiento de mi cuerpo. Me inspiro momento a momento respirando profundamente. Sé que estoy haciendo lo necesario para crear una vida saludable y libre de dolor.

CAPÍTULO X

DIARIO
O RELACIÓN
DE LA ARTRITIS

DIARIO O RELACIÓN DE LA ARTRITIS

Utilice las siguientes páginas para anotar semanalmente los cambios, actividades y eventos que ocurren mientras usted trabaja para mejorar su artritis. Un registro personal de su programa de ejercicio así como los cambios físicos que ocurren será información importante. Este diario podrá hacerlo más consciente de los cambios que ocurren en un lapso de tiempo y pueden servirle como una fuente de inspiración para que continúe llevando la salud en sus manos.

Su registro diario le dirá:

❏ Dónde se enfoca su dolor o y hacia dónde se irradia.
❏ Cuándo es que más le duele su artritis.
❏ Qué le causa problemas a su salud.
❏ Qué empeora su dolor.
❏ Cuáles técnicas ayudan a aliviar su dolor.
❏ Cuál ha sido su progreso en un determinado lapso de tiempo.

REGISTRO DE MI PROGRESO

Fecha_____

La condición presente es de:

❏ Dolor intenso. ❏ Tensión.
❏ Entumecimiento. ❏ Dolorido.
❏ Cansancio.

El dolor es:

❏ Agudo. ❏ Intermitente.
❏ Moderado. ❏ Fijo.

¿Cuándo me molesta más mi artritis?

Hora del día_____

❏ Después de dormir.
❏ Durante el trabajo.
❏ Antes de dormir.

¿Dónde se localiza el dolor?

Utilice el dibujo que se presenta abajo. Marque con un color el área de mayores molestias. Luego con otro color, marque las áreas del cuerpo hacia las cuales se irradia y para especificar otras áreas de tensión, dolor y entumecimiento.

❏ Rodillas. ❏ Parte alta de la espalda.
❏ Codos. ❏ Parte baja de la espalda.
❏ Piernas. ❏ Cuello.
❏ Brazos. ❏ Entre las costillas.
❏ Pies. ❏ Pantorrilla.
❏ Muñecas. ❏ Cara lateral de la pierna.
❏ Dedos del pie. ❏ Caderas.
❏ Mano. ❏ A lo largo de la espalda.
❏ Dedos.

¿Cuáles dedos de la mano y/o del pie? _____

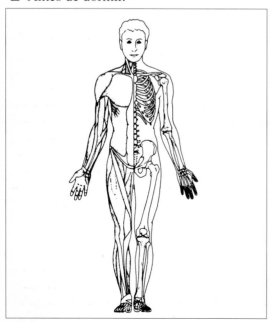

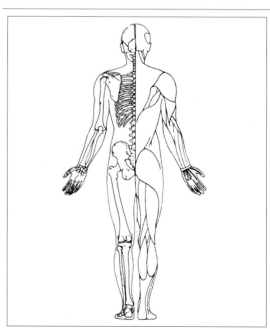

¿Qué hace empeorar mis molestias?

- ❏ Estar de pie.
- ❏ Estar sentado.
- ❏ El período menstrual.
- ❏ Mecerse.
- ❏ La tensión nerviosa.
- ❏ Levantarse.
- ❏ El estreñimiento.
- ❏ Conducir.
- ❏ Clima frío
- ❏ Presión de_____

La artritis ha afectado mi:

- ❏ Sueño.
- ❏ Apetito.
- ❏ Respiración.
- ❏ Trabajo.
- ❏ Evacuaciones.
- ❏ Relaciones.
- ❏ Mi perspectiva de la vida.

¿Qué ha servido para mejorar el dolor?

- ❏ Masaje.
- ❏ Sueño.
- ❏ Meditación.
- ❏ Dígitopuntura.
- ❏ Ejercicio_____
  (especificar el tipo, por ejemplo, nadar)

Mi rutina de alivio de la artritis:

Seleccione cuatro técnicas o ejercicios de este libro que le hayan ayudado a aliviar su artritis.

1. _____en la página_____ .

2. _____en la página_____ .

3. _____en la página_____ .

4. _____en la página_____ .

Resultados: Describa los cambios ocurridos.

_____
_____
_____
_____
_____
_____
_____
_____
_____
_____
_____
_____
_____
_____
_____
_____
_____

REGISTRO DE MI PROGRESO

Fecha_____

La condición presente es de:

- ❏ Dolor intenso.
- ❏ Entumecimiento.
- ❏ Cansancio.
- ❏ Tensión.
- ❏ Dolorido.

El dolor es:

- ❏ Agudo.
- ❏ Moderado.
- ❏ Intermitente.
- ❏ Fijo.

¿Cuándo me molesta más mi artritis?

Hora del día_____

- ❏ Después de dormir.
- ❏ Durante el trabajo.
- ❏ Antes de dormir.

¿Dónde se localiza el dolor?

Utilice el dibujo que se presenta abajo. Marque con un color el área de mayores molestias. Luego con otro color, marque las áreas del cuerpo hacia las cuales se irradia y para especificar otras áreas de tensión, dolor y entumecimiento.

- ❏ Rodillas.
- ❏ Codos.
- ❏ Piernas.
- ❏ Brazos.
- ❏ Pies.
- ❏ Muñecas.
- ❏ Dedos del pie.
- ❏ Mano.
- ❏ Dedos.
- ❏ Parte alta de la espalda.
- ❏ Parte baja de la espalda.
- ❏ Cuello.
- ❏ Entre las costillas.
- ❏ Pantorrilla.
- ❏ Cara lateral de la pierna.
- ❏ Caderas.
- ❏ A lo largo de la espalda.

¿Cuáles dedos de la mano y/o del pie? _____

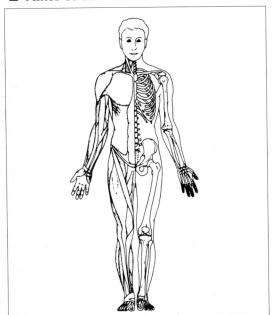

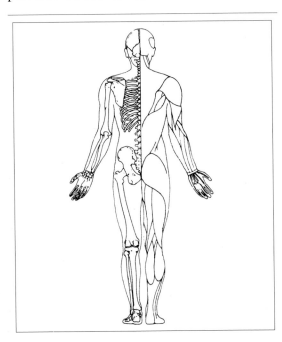

¿Qué hace empeorar mis molestias?

- ❏ Estar de pie.
- ❏ Estar sentado.
- ❏ El período menstrual.
- ❏ Mecerse.
- ❏ La tensión nerviosa.
- ❏ Levantarse.
- ❏ El estreñimiento.
- ❏ Conducir.
- ❏ Clima frío
- ❏ Presión de_____

La artritis ha afectado mi:

- ❏ Sueño.
- ❏ Apetito.
- ❏ Respiración.
- ❏ Trabajo.
- ❏ Evacuaciones.
- ❏ Relaciones.
- ❏ Mi perspectiva de la vida.

¿Qué ha servido para mejorar el dolor?

- ❏ Masaje.
- ❏ Sueño.
- ❏ Meditación.
- ❏ Dígitopuntura.
- ❏ Ejercicio_____
  (especificar el tipo, por ejemplo, nadar)

Mi rutina de alivio de la artritis:

Seleccione cuatro técnicas o ejercicios de este libro que le hayan ayudado a aliviar su artritis.

1. _____en la página_____ .

2. _____en la página_____ .

3. _____en la página_____ .

4. _____en la página_____ .

Resultados: Describa los cambios ocurridos.

_____
_____
_____
_____
_____
_____
_____
_____
_____
_____
_____
_____
_____
_____
_____
_____
_____

REGISTRO DE MI PROGRESO

Fecha_____

La condición presente es de:

❏ Dolor intenso.   ❏ Tensión.
❏ Entumecimiento. ❏ Dolorido.
❏ Cansancio.

El dolor es:

❏ Agudo.   ❏ Intermitente.
❏ Moderado.   ❏ Fijo.

¿Cuándo me molesta más mi artritis?

Hora del día_____

❏ Después de dormir.
❏ Durante el trabajo.
❏ Antes de dormir.

¿Dónde se localiza el dolor?

Utilice el dibujo que se presenta abajo. Marque con un color el área de mayores molestias. Luego con otro color, marque las áreas del cuerpo hacia las cuales se irradia y para especificar otras áreas de tensión, dolor y entumecimiento.

❏ Rodillas.   ❏ Parte alta de la espalda.
❏ Codos.   ❏ Parte baja de la espalda.
❏ Piernas.   ❏ Cuello.
❏ Brazos.   ❏ Entre las costillas.
❏ Pies.   ❏ Pantorrilla.
❏ Muñecas.   ❏ Cara lateral de la pierna.
❏ Dedos del pie.   ❏ Caderas.
❏ Mano.   ❏ A lo largo de la espalda.
❏ Dedos.

¿Cuáles dedos de la mano y/o del pie? _____

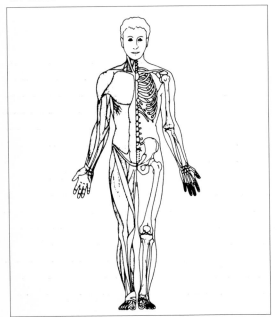

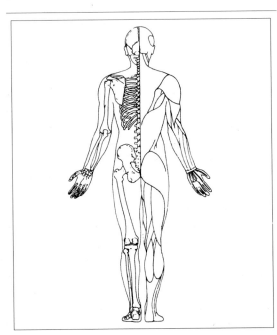

¿Qué hace empeorar mis molestias?

- ❏ Estar de pie.
- ❏ Estar sentado.
- ❏ El período menstrual.
- ❏ Mecerse.
- ❏ La tensión nerviosa.
- ❏ Levantarse.
- ❏ El estreñimiento.
- ❏ Conducir.
- ❏ Clima frío
- ❏ Presión de_____

La artritis ha afectado mi:

- ❏ Sueño.
- ❏ Apetito.
- ❏ Respiración.
- ❏ Trabajo.
- ❏ Evacuaciones.
- ❏ Relaciones.
- ❏ Mi perspectiva de la vida.

¿Qué ha servido para mejorar el dolor?

- ❏ Masaje.
- ❏ Sueño.
- ❏ Meditación.
- ❏ Dígitopuntura.
- ❏ Ejercicio_____
  (especificar el tipo, por ejemplo, nadar)

Mi rutina de alivio de la artritis:

Seleccione cuatro técnicas o ejercicios de este libro que le hayan ayudado a aliviar su artritis.

1. _____en la página _____ .

2. _____en la página _____ .

3. _____en la página _____ .

4. _____en la página _____ .

Resultados: Describa los cambios ocurridos.

_____
_____
_____
_____
_____
_____
_____
_____
_____
_____
_____
_____
_____
_____
_____
_____
_____
_____

REGISTRO DE MI PROGRESO

Fecha_____

La condición presente es de:

❏ Dolor intenso.   ❏ Tensión.
❏ Entumecimiento.   ❏ Dolorido.
❏ Cansancio.

El dolor es:

❏ Agudo.   ❏ Intermitente.
❏ Moderado.   ❏ Fijo.

¿Cuándo me molesta más mi artritis?

Hora del día_____

❏ Después de dormir.
❏ Durante el trabajo.
❏ Antes de dormir.

¿Dónde se localiza el dolor?

Utilice el dibujo que se presenta abajo. Marque con un color el área de mayores molestias. Luego con otro color, marque las áreas del cuerpo hacia las cuales se irradia y para especificar otras áreas de tensión, dolor y entumecimiento.

❏ Rodillas.   ❏ Parte alta de la espalda.
❏ Codos.   ❏ Parte baja de la espalda.
❏ Piernas.   ❏ Cuello.
❏ Brazos.   ❏ Entre las costillas.
❏ Pies.   ❏ Pantorrilla.
❏ Muñecas.   ❏ Cara lateral de la pierna.
❏ Dedos del pie.   ❏ Caderas.
❏ Mano.   ❏ A lo largo de la espalda.
❏ Dedos.

¿Cuáles dedos de la mano y/o del pie? _____

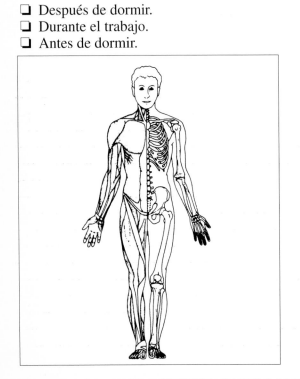

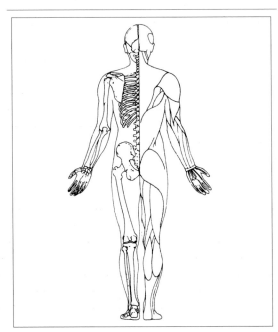

¿Qué hace empeorar mis molestias?

- ❏ Estar de pie.
- ❏ Estar sentado.
- ❏ El período menstrual.
- ❏ Mecerse.
- ❏ La tensión nerviosa.
- ❏ Levantarse.
- ❏ El estreñimiento.
- ❏ Conducir.
- ❏ Clima frío
- ❏ Presión de_____

La artritis ha afectado mi:

- ❏ Sueño.
- ❏ Apetito.
- ❏ Respiración.
- ❏ Trabajo.
- ❏ Evacuaciones.
- ❏ Relaciones.
- ❏ Mi perspectiva de la vida.

¿Qué ha servido para mejorar el dolor?

- ❏ Masaje.
- ❏ Sueño.
- ❏ Meditación.
- ❏ Dígitopuntura.
- ❏ Ejercicio_____
  (especificar el tipo, por ejemplo, nadar)

Mi rutina de alivio de la artritis:

Seleccione cuatro técnicas o ejercicios de este libro que le hayan ayudado a aliviar su artritis.

1. _____en la página_____ .

2. _____en la página_____ .

3. _____en la página_____ .

4. _____en la página_____ .

Resultados: Describa los cambios ocurridos.

_____
_____
_____
_____
_____
_____
_____
_____
_____
_____
_____
_____
_____
_____
_____

REGISTRO DE MI PROGRESO

Fecha_____

La condición presente es de:

- ❏ Dolor intenso. ❏ Tensión.
- ❏ Entumecimiento. ❏ Dolorido.
- ❏ Cansancio.

El dolor es:

- ❏ Agudo. ❏ Intermitente.
- ❏ Moderado. ❏ Fijo.

¿Cuándo me molesta más mi artritis?

Hora del día_____

- ❏ Después de dormir.
- ❏ Durante el trabajo.
- ❏ Antes de dormir.

¿Dónde se localiza el dolor?

Utilice el dibujo que se presenta abajo. Marque con un color el área de mayores molestias. Luego con otro color, marque las áreas del cuerpo hacia las cuales se irradia y para especificar otras áreas de tensión, dolor y entumecimiento.

- ❏ Rodillas. ❏ Parte alta de la espalda.
- ❏ Codos. ❏ Parte baja de la espalda.
- ❏ Piernas. ❏ Cuello.
- ❏ Brazos. ❏ Entre las costillas.
- ❏ Pies. ❏ Pantorrilla.
- ❏ Muñecas. ❏ Cara lateral de la pierna.
- ❏ Dedos del pie. ❏ Caderas.
- ❏ Mano. ❏ A lo largo de la espalda.
- ❏ Dedos.

¿Cuáles dedos de la mano y/o del pie? _____

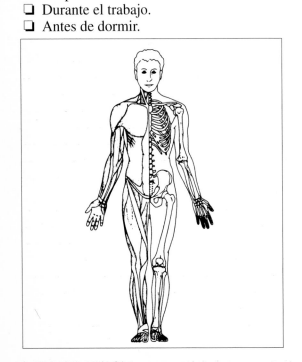

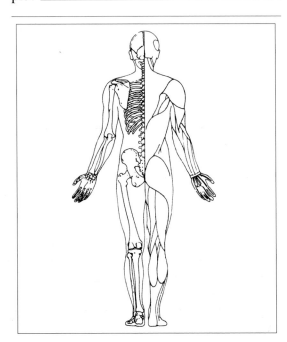

¿Qué hace empeorar mis molestias?

❑ Estar de pie.
❑ Estar sentado.
❑ El período menstrual.
❑ Mecerse.
❑ La tensión nerviosa.
❑ Levantarse.
❑ El estreñimiento.
❑ Conducir.
❑ Clima frío
❑ Presión de_____

La artritis ha afectado mi:

❑ Sueño.
❑ Apetito.
❑ Respiración.
❑ Trabajo.
❑ Evacuaciones.
❑ Relaciones.
❑ Mi perspectiva de la vida.

¿Qué ha servido para mejorar el dolor?

❑ Masaje.
❑ Sueño.
❑ Meditación.
❑ Dígitopuntura.
❑ Ejercicio_____
(especificar el tipo, por ejemplo, nadar)

Mi rutina de alivio de la artritis:

Seleccione cuatro técnicas o ejercicios de este libro que le hayan ayudado a aliviar su artritis.

1. _____en la página_____ .

2. _____en la página_____ .

3. _____en la página_____ .

4. _____en la página_____ .

Resultados: Describa los cambios ocurridos.

_____
_____
_____
_____
_____
_____
_____
_____
_____
_____
_____
_____
_____
_____
_____
_____

BIBLIOGRAFÍA

Academy of Traditional Chinese Medicine. *An Outline of Chinese Acupunture.* Peking: Foreign Languages Press, 1975.

Airola Paavo 0. *There is a Cure For Arthritis.* New York: Parker Publishing Co., 1968.

Brena, Steven F., M.D. *Yoga and Medicine.* New York: Penguin Books, 1973.

Dong, Collin, M.D. *The Arthritic's Cookbook* New York: Bantam Books, 1973.

Eisenberg, David, M.D. *Encounters With Qi.* New York: Penguin Books, 1987.

Fries, James, M.D. *Arthritis, A Comprehensive Guide.* Reading, Massachusetts: Addison-Wesley, 1979.

Gach, Michael Reed. *Acu-Yoga. Self Help Techniques.* Tokyo: Japan Publications, 1981.

Gach, Michael Reed. *The Bum Back Book.* Berkeley, California: Celestial Arts, 1983.

Gach, Michael Reed. *Greater Energy At Your Fingertips.* Berkeley, California: Celestial Arts, 1986.

Gadd, Irna and Laurence. *Arthritis Alternatives.* New York: Warner Books, 1985.

Garde, Raghanath K., MD. *Principles and Practice of Yoga Therapy.* Lakemont, Georgia: Tarnhelm, 1970.

Jackson, Mildred, and Teague, Terri. *The Handbook of Alternatives to Chemical Medicine.* Oakland, California: LawtonTeague Publications, 1975.

Jayson, Malcom IV, and Dixon, Allan St. J. *Rheumatism and Arthritis.* London: Pan Books, Ltd., 1980.

Jensen, Bernard. *Arthritis and Rheumatism Pains Are Symptoms.* The Herbalist, October 1979, 14-16.

Kaptchuk, Ted J. *The Web That Has No Weaver.* New York: Congdon and Weed, 1983.

Leung, Stanley T. W. *The Acupuncture Treatment of Bi Entiry.* JACTM 3 (1983): 34-41.

Lin Jie Hou. "Bi-Entity (Arthritis). Clinical Experience of Master-Physician Wang Wei Lan". JACTM 3 (1983): 3-28.

Mann, Felix. *Atlas of Acupuncture.* Philadelphia Ideas, 1970.

Masunaga, Shizuto. *Zen Shiatsu.* Tokyo: Japan Publications, 1977.

Meryvin, Leonard, B.S., Ph. D. *Rheumatism and Arthritis.* New York: Thornsons Publishing, 1986.

O'Connor, John. *Acupuncture: A Comprehensive Text.* Edited and translated by Dan Bensky. Seattle: Easland Press, 1981.

Requena, Yves. *Terrains and Pathology in Acupuncture,* Vol. 1. Massachusetts: Paradigm Publications, 1986.

Revolutionary Health Committee of Human Province. *A Barefoot Doctor's Manual.* Seattle: Madrona Publishers, 1977.

Serizawa, Katsusuke, M.D. *Massage: The Oriental Method; Tsubo: Vital Points for Oriental Therapy.* Tokyo: Japan Publications, 1976.

Shealy, Norman, M.D. *The Pain Game,* Berkeley, California: Celestial Arts, 1976.

Siefert, Gary, and Chan, Yimmy, comps. and trans. *Sympton Analysis and Acupuncture.* Sydney: 1984.

Simonton, Carl 0., M.D. *Getting Well Again.* New York: Houghton Mifflin Co., 1983.

Teeguarden, Iona. *Acupressure Way of Health.* Tokyo: Japan Publications, 1978.

Terashi, Bohuso. *Chinese Herbal Medicine and the Problems of Aging.* Oriental Healing Arts Institute: 1984.

Todd, Mabel Elsworth. *The Thinking Body.* New York: Dance Horizonts Republications, 1975.

Toyohiko, Kikutani. *A Review of the Therapeutic Effect ofFang-Chi-Tang (Staphania and Astragalus Combination)* Oriental Healing Arts Institute: June, 1983.

Van Nghi, Nguyen. *Pathogénie et Pathologie Energetiques en Medicine Chinoise.* Translated by Sydney Acupuncture Study Group. Sydney: 1980.

Veith, Ilza, trans. *The Yellow Emperor's Classic of Internal Medicine.* Berkeley, California: University of California Press, 1949.

Weil, Andrew, M.D., *Health and Healing.* Boston: Houghton Mifflin Co. 1983.

INSTITUTOS DE ACUPUNTURA
OBSEQUIOS • PRODUCTOS • ENTRENAMIENTOS

El Instituto de Acupresión, fundado en 1976 por Michael Reed Gach, fue diseñado para contribuir al bienestar de miles de personas internacionalmente, a través de sus programas de reducción de la tensión, productos educacionales, seminarios y cortos programas intensivos. El Instituto ofrece un curso completo de entrenamiento aprobado por el Departamento de Educación de California. Un Catálogo gratuito está disponible si se solicita.

Seminarios y entrenamientos

A solicitud están disponibles un catálogo gratuito de la escuela y una solicitud.

Seminarios para grupos especiales

Michael Reed Gach está disponible para hablar y hacer presentaciones a grupos locales de 25 personas o más. Escriba al Instituto de Acupuntura si desea organizar un seminario de fin de semana con el señor Gach. Escoja entre los temas siguientes:

- Alivio de la artritis
- Estiramiento acu-facial
- Seminario sobre la espalda dañada
- Pérdida de peso por acupresión
- Cómo aumentar su vitalidad
- Aliviando la tensión en hombros y cuellos
- Muestario de acupresión
  (Escoja cuatro de los temas anteriores)

Medios y artículos de aprendizaje

El Instituto de Acupuntura vende muchos libros y folletos de autoacupresión difíciles de encontrar, así como cintas de video y audio de enseñanza especial. Llame o escriba para recibir un folleto gratuito de los productos y una forma de pedido.

Retiros saludables a Hawaii

Cada año, el señor Gach organiza un retiro de ocho días en la tropical Maui, para enseñar a los participantes a aliviar el dolor artrítico y la rigidez, así como la tensión en hombros y cuello. Aprenderá ejercicios fáciles de respiración natural y estiramiento, junto con técnicas de acupresión, mientras absorbe el calor y belleza de Hawaii. La Inscripción está limitada a 25 personas. Hay descuentos disponibles en reservas para dos o más personas. Solicite un folleto gratuito.

Acupressure Institute of America, Inc.
1533 Shattuck Avenue, Dept. 4,
Berkeley, CA 94709

(415)845-1059 *en California*
1-800-422-2232 *fuera de California*

GLOSARIO

Acupresión: antiguo método de terapia que usa el método chino de puntos y meridianos de la acupuntura, combinado con la técnica de dígitopresión japonesa para soltar los músculos y mejorar la circulación.

Acupuntura: método tradicional chino en el cual se aplican finísimas agujas en puntos clave del cuerpo para liberar los bloqueos internos y balancear la energía.

Acu-Yoga: la integración de acupresión y yoga usada para autotratamiento.

Afirmaciones: enunciados que se dicen en voz alta o a uno mismo para validar diferentes aspectos de la propia existencia. Se usan para visualizar e incrementar los beneficios de la técnica Acu-Yoga.

Ajuste: manipulación que hacen los quiroprácticos para el adecuado alineamiento de la columna vertebral.

Ajuste quiropráctico: manipulación física para el adecuado alineamiento de las vértebras de la columna vertebral.

Alinear: tener la columna vertebral en la línea adecuada.

Articulación sacro ilíaca: unión del sacro y los huesos de la cadera.

Artritis: inflamación de las articulaciones. Hay aproximadamente cien tipos de artritis, la mayoría producen dolor debido a causas metabólicas, infecciosas o constitucionales. Es importante establecer un adecuado diagnóstico del tipo de artritis que usted tiene. El capítulo sobre las causas de la artritis discute brevemente los principales tipos de artritis, pero para obtener mayor información puede consultar: *Arthritis Comprehensive Guide,* by Dr. James Fries (Reading, Mass.: Addison-Wesley, 1979).

Bloqueo: acumulación o congestión de energía en un punto de dígitopresión, o rodeándolo. Los bloqueos pueden doler, molestar, provocar entumecimiento antes de manifestarse como un severo síntoma físico.

Bloqueo de energía: obstrucción al libre flujo de materia vital, que se manifiesta físicamente como tensión, dolor, entumecimiento. Los pensamientos y las emociones también pueden ocasionar bloqueos de energía.

Centrar: proceso mediante el cual se obtiene conocimiento del cuerpo y de la mente. Esto permite estar más consciente del momento actual.

Columna vertebral: línea posterior formada por una serie de huesos llamados vértebras, alineadas una sobre la otra. Protegen la médula espinal.

Compresas: la aplicación de compresas (en algunas ocasiones se usa en forma alterna calor y frío) para aumentar la circulación en un área particular.

Conocimiento de la respiración: la habilidad para profundizar y dirigir la respiración a diferentes partes del cuerpo mediante la relajación y la concentración.

Coxis: la última vértebra en la base de la columna.

Chi: palabra china que designa la energía vital. Se ha traducido como "energía material" o "materia vital" que circula a través de los meridianos.

Discos: tejido conectivo y cartilaginoso que se localiza entre cada vértebra.

Dolor referido: dolor generado en un área del cuerpo que se siente en otra.

Enfermedad: desbalance global de organismo.

Fuerza vital: la energía que se encuentra en todas las cosas. Los tres tipos principales son:
1. La energía que circula en el cuerpo a través de los meridianos.
2. El poder generado de las cualidades humanas como el amor, la devoción, determinación, fuerza de voluntad y pensamiento positivo.
3. Las fuerzas de la naturaleza que incluyen el viento, la lluvia, el sol, el calor, el magnetismo, la gravedad y la electricidad.

Herbología: el uso médico de plantas tanto para uso interno como externo.

Hipertensión: incremento anormal de la presión arterial.

Holístico: aproximación a la vida basado en la perspectiva de que todas las formas de existencia están unificadas, que el todo equivale a más que a la suma de sus partes, y que cada aspecto, tanto interno como externo, afectan al todo.

Homeostasis: estado de balance o equilibrio.

Impotencia: la condición de pérdida de la fortaleza física y la incapacidad para desempeñar adecuadamente el coito.

Jin Shin: técnica de masaje altamente desarrollada que utiliza dígitopresión suave o intensa en puntos específicos de la anatomía humana. Este sistema libera la tensión y rebalancea todas las áreas del cuerpo.

Ki: la palabra japonesa para referirse a la energía vital que se concentra en todos los seres vivos. Circula a lo largo del cuerpo a través de corredores llamados meridianos.

Medial: hacia el centro del cuerpo.

Medicina tradicional china: antiguo sistema del cuidado de la salud, filosofía y prácticas médicas, trasmitidos de generación a generación, desde el primer texto registrado en el 2697 a.c. hasta nuestros días.

Meditación: enfocar la atención para desarrollar las capacidades espirituales de la mente.

Médula espinal: cordón de tejido nervioso del sistema nervioso central que corre a lo largo de la columna vertebral hasta el cerebro.

Meridianos: los corredores a través de los cuales fluye la energía a lo largo del cuerpo, conectando los diversos puntos de acupresión acupuntura y los órganos internos.

Meridianos Yin:

Pulmón	Lu
Bazo	Sp
Corazón	H
Riñón	K
Hígado	Lv
Vesículas seminales	CV

Meridianos Yang:

Intestino delgado	LI
Estómago	St
Intestino grueso	SI
Vejiga	B
Pericardio	P
Vesícula	GB

Metatarsiales: los huesos que se localizan entre los dedos del pie y el tobillo. Se encuentran en el empeine.

Posiciones yoga: posiciones del cuerpo que estiran y fortalecen la columna, las extremidades, articulaciones, músculos y nervios para producir un balance natural del cuerpo y de la mente.

Puntos de presión: lugares del cuerpo humano con altos niveles de conductividad eléctrica. Tienden a localizarse en coyunturas neuromusculares, articulaciones y donde los huesos se localizan cerca de la piel junto a un meridiano.

Puntos distales: puntos de digitopuntura localizados a distancia del área a la cual benefician. Ver puntos locales.

Puntos frontales: puntos de dígitopresión localizados en la parte delantera del cuerpo.

Puntos locales: puntos locales de digitopuntura que se hallan localizados en el área que benefician. Ver puntos distales.

Región lumbosacra: el área de la parte baja de la espalda donde las vértebras lumbares se unen al sacro.

Relajación profunda: dejar ir el cuerpo y la mente para permitir que un flujo natural de energía circule. Relajarse completamente después de los ejercicios es la mejor manera de recargar el sistema nervioso.

Sacro: hueso plano y triangular situado en la parte baja de la espalda en la base de la columna.

Shiatsu: variedad japonesa de dígitopresión que utiliza técnicas de presión y masaje sobre puntos localizados a lo largo de los meridianos.

Sistema nervioso: la red de nervios que regulan el funcionamiento del sistema muscular. Tiene influencia sobre la coordinación de cada célula, órgano y sistema del cuerpo.

Tai Chi Chuan: sistema tradicional chino basado en el movimiento, que proporciona buena salud al cuerpo.

Técnicas neuromusculares y reeducativas:
El método Feldenkrais y la técnica Alexander son las aproximaciones más ampliamente utilizadas para reentrenar el sistema nervioso y los patrones neuromusculares. Este gentil método contribuye a fortalecer los músculos, a reducir la compresión muscular y el dolor de las articulaciones.

Tensión muscular crónica: condición a largo plazo en la cual las fibras musculares han permanecido en un estado de contracción.

Terapias alternativas: un amplio rango de técnicas de salud holísticas no reconocidas por la medicina occidental. La siguiente es una lista parcial de alternativas terapéuticas que han sido útiles para el alivio de la artritis:

Terapia de movimiento: usar la danza y movimientos creativos como una forma de auto curación.

Terapia física: técnicas manipulativas de reeducación y neuromusculares para aliviar el dolor producido por la artritis. La osteopatía y los quiroprácticos usan técnicas de movilización de las articulaciones.

Vértebras: los huesos de la columna a través de los cuales corre la médula espinal. Ver vértebras cervicales, torácicas y lumbares.

Vértebras cervicales: las siete vértebras del cuello.

Vértebras lumbares: las últimas cinco vértebras de la parte baja de la espalda por arriba del sacro.

Vértebras torácicas: las doce vértebras localizadas debajo del cuello y por arriba de la mitad de la espalda. Ver diagrama página 140.

Visualización: proceso creativo de formar imágenes y pensamientos positivos que en forma positiva dirigen nuestra propia vida.

EXPLICACIÓN DE TÉRMINOS

Estrechar: Firmemente sostenga entre la mano durante varios segundos; suelte gradualmente.

Frotar: Mover la mano con energía sobre la superficie de la piel en un área concentrada.

Golpe: Cierre el puño y mantenga la muñeca floja.

Masaje: Use todas las partes de su mano para deslizarlas suavemente sobre la piel, cubriendo el área para estimular la circulación.

Oprimir: Usar los pulgares, otros dedos o los talones de las manos para sostener con una presión firme y ligera.

Palmada: Use la palma de la mano y los dedos para estimular el área que se trabaja con un ritmo corto y rápido.

Rascar: Usar las uñas para estimular con suavidad la superficie de la piel.

Rastrillar: Use las yemas de los dedos para deslizarlas sobre la superficie de la piel, con sus dedos cómodamente extendidos y curvados para formar una garra.

Rodar: Circundar el área con los dedos o mano y mover hacia adelante y hacia atrás con un movimiento circular.

Sobar: Gradualmente agarrar los músculos cerrando los dedos hacia el pulgar y oprimir y soltar rítmicamente.

ÍNDICE

◇

ACERCA DEL AUTOR

Michael Reed Gach es el fundador del Instituto de Acupresión en Berkeley, California. El Instituto está aprobado por el Consejo de Enfermeras Registradas y por el Departamento de Educación para Entrenamiento Vacacional. Gach recibió su licenciatura en Relaciones Sociales en el Immaculate Herart College y actualmente trabaja para obtener su doctorado en filosofía en Acupresión para el Cuidado de la Salud en Columbia Pacific University. Posee un diploma universitario en Servicios de Salud y Cuidado Físico, así como en Tegnologías Relacionadas.

Gach es el autor *The Bum Back Cook, Acu-Yoga* y su reciente *Greater Energy At Your Fingertips* (Artes Celestiales). Más de diez años de investigación han permitido a Gach originar un sistema de autoayuda en el control de la tensión incorporando posturas de acupresión y yoga. Su libro de Acu-Yoga (publicado por Jepan Publications, distribuído por Harper & Row), está en su séptima impresión y ha sido publicado en alemán y en español.

Michael Reed Gach puede ser localizado escribiendo a:

Acupressure Institute of America, Inc.
1533 Shattuck Avenue, Dept. 4
Berkeley, CA 94709